L'imagerie de la ferme

Conception et texte :

Émilie Beaumont

Marie-Renée Pimont

Institutrice d'école maternelle.

Images :

Marie-Christine Lemayeur - Bernard Alunni - François Ruyer

ÉDITIONS FLEURUS, 15-27 rue Moussorgski 75018 PARIS

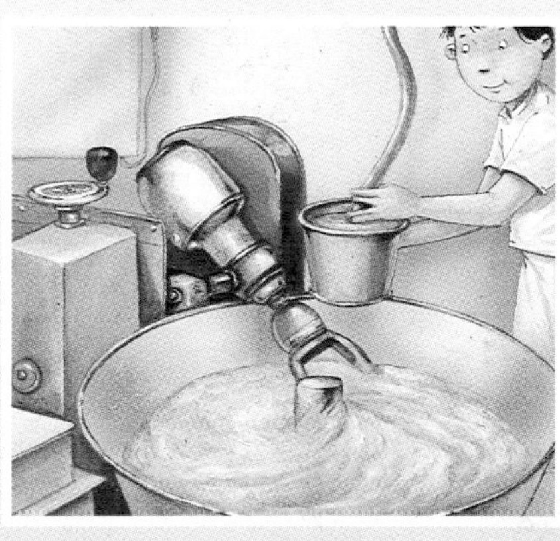

Remerciements à Monsieur François Bourget, agriculteur
à Daumeray (Maine-et-Loire), pour ses précieux conseils.

DECOUVERTE DE LA FERME

VISITE DE LA FERME

Voici les bâtiments de la ferme : la maison du fermier, les abris pour les animaux, le hangar où sont rangées les récoltes et les machines.

Le fermier cultive des légumes et des céréales dans les champs. S'il élève des animaux, il garde une partie de la récolte pour les nourrir.

AUTOUR DES BATIMENTS DE LA FERME

Les tracteurs sillonnent les champs. Pour éviter que les animaux s'échappent, les prés sont entourés de haies ou de clôtures électriques.

Le fermier écoute régulièrement la météo. Au printemps, il craint le gel. En été, il espère qu'un orage n'abîmera pas les champs de blé.

TRAVAILLER A LA FERME EN AUTOMNE

Les jours raccourcissent et pourtant le travail ne manque pas. Il faut rentrer les dernières récoltes, cueillir les fruits et labourer les champs.

Les épis de maïs sont bien dorés. Le fermier va les moissonner.

C'est aussi l'époque de la récolte des betteraves.

Au verger, des ouvriers viennent aider à la cueillette des pommes et des poires.

Au potager, la fermière coupe les choux et arrache les carottes. Elle déterre les pommes de terre.

Le fermier va labourer la terre et semer de nouvelles graines.

LE TEMPS DES LABOURS

Avant de semer, le cultivateur laboure les champs : il attelle une charrue à son tracteur pour préparer la terre et creuser les sillons.

LES SEMAILLES

Après le labour, le cultivateur attelle à son tracteur un pulvériseur, puis un rouleau. La terre est alors prête à recevoir les grains.

La charrue a laissé de grosses mottes. Le pulvériseur les casse.

Le rouleau écrase les dernières petites mottes. Le champ est plat.

Les grains versés dans le semoir tombent en passant par les tuyaux.

Les dents du semoir enterrent les grains à la même profondeur.

LABOURS ET SEMAILLES D'AUTREFOIS

Avant l'invention des tracteurs, les hommes se servaient de la force des animaux : bœufs ou chevaux travaillaient dans les champs.

Le bouvier dirige les bœufs à l'aide de son aiguillon.
Le laboureur marche derrière la charrue. Il enfonce et soulève le soc.

Le semeur lance à la volée le blé contenu dans son sac.

Le cheval tire le semoir, qui verse les grains dans les sillons.

TRAVAILLER A LA FERME EN HIVER

Il fait froid et les jours sont courts. La nature se repose : la sève ne circule plus dans les plantes. On rentre les animaux au chaud.

Le fermier vérifie l'état des clôtures et des machines. Il élague les arbres, coupe le bois et le met à sécher jusqu'à l'hiver suivant.

Dans les prés, il fait froid et l'herbe devient rare. Les vaches restent à l'étable. Le fermier leur apporte du fourrage et change leur litière.

TRAVAILLER A LA FERME AU PRINTEMPS

Le fermier reste attentif : s'il gèle, les fleurs du verger donneront moins de fruits ! Les animaux rejoignent le pré où l'herbe a reverdi.

Les semis d'automne ont donné naissance à de jeunes plantes qui réclament des vitamines. Alors le fermier répand de l'engrais.

C'est la saison des naissances : les brebis appellent leurs agneaux, la jument surveille ses poulains, les poussins découvrent la basse-cour.

SOIGNER LA TERRE

Le fumier répandu avant les labours nourrira la terre. Le désherbant répandu après les semailles détruira les mauvaises herbes.

Le fumier est un mélange de paille et de caca d'animaux. Le fermier le charge dans l'épandeur, une machine qui étale le fumier sur le champ.

Le pulvérisateur projette du désherbant. Le fermier choisit un jour sans vent, car sinon ce produit chimique se disperserait hors du champ.

TRAVAILLER A LA FERME EN ÉTÉ

C'est le temps des moissons, de la fenaison, et de bien d'autres travaux. Des voisins viennent aider le fermier. Il ira ensuite chez eux.

Il faut arroser le maïs, qui ne sera récolté qu'en automne.

Au potager, la fermière ramasse tomates, haricots et salades.

On enfouit dans la terre les restes des récoltes.

On enlève des petites pommes pour que les autres grossissent mieux.

FAIRE LES FOINS !

En juillet, l'herbe fauchée est retournée sur le pré pour mieux sécher. Elle se transforme en foin doré qui servira de nourriture aux animaux.

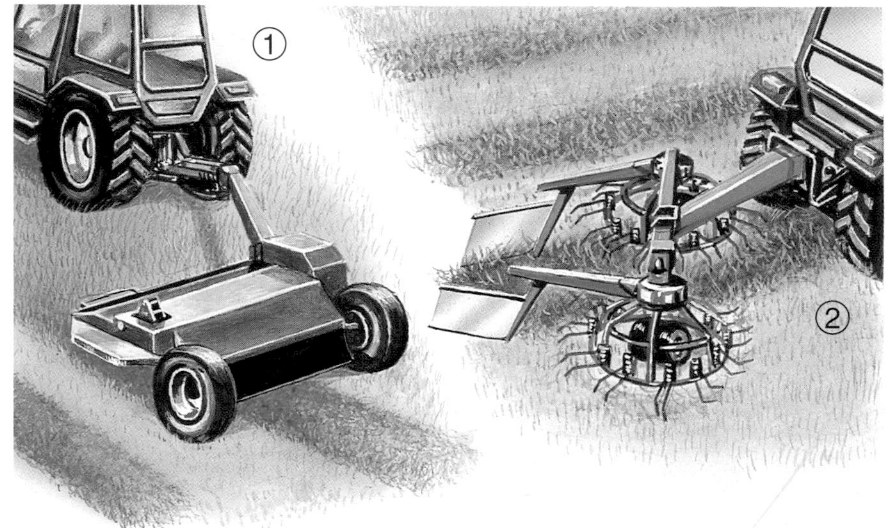

1. Tirée par un tracteur, la faucheuse coupe l'herbe et l'étale en bandes régulières.

2. La faneuse retourne l'herbe pour l'aérer.

3. La ramasseuse-presse ramasse l'herbe et la roule en ballots bien ficelés.

4. La fourche s'enfonce dans le ballot de foin, le soulève et le dépose dans la remorque.

L'ENSILAGE : DE L'HERBE A L'ABRI DE L'AIR

Vers le milieu du printemps, l'herbe de la prairie est hachée et tassée dans un silo. Elle servira de nourriture aux vaches pendant l'hiver.

La veille, la faucheuse a coupé l'herbe. L'ensileuse la ramasse et la hache en petits brins. La souffleuse éjecte les brins vers la remorque.

Une soufflerie envoie l'herbe hachée dans le silo-tour. L'herbe peut aussi être déversée dans une fosse et couverte d'une bâche noire.

LA MOISSON

Moissonner, c'est couper et récolter la plante quand son grain et sa tige sont mûrs et secs. Le blé est moissonné en juillet ou en août.

La moissonneuse est aussi “batteuse” : elle bat le blé pour séparer les grains de leur tige. Puis elle rejette les tiges entières ou en miettes.

RAMASSER LA PAILLE

La paille, ce sont les tiges des céréales que la moissonneuse a coupées, battues et déposées sur le champ. Il faut la ramasser avant la pluie.

La ramasseuse-presse ramasse la paille et la comprime en balles.

La fermière prépare pour les animaux un lit de paille : la litière.

Autrefois, le tas de paille avait la forme d'une ruche. On l'appelait une meule. Aujourd'hui, la paille est roulée en balles ou tassée en bottes.

LES SILOS A GRAINS

Avant d'être stockés dans les silos, les grains des céréales passent dans un grand séchoir. S'ils restaient mouillés, ils moisiraient.

La grande plaque sur le sol, c'est une balance géante. Le tracteur y conduit la remorque et son chargement de grains pour les peser.

Le conducteur relève la remorque et les grains tombent. Ils rejoindront d'abord le séchoir, puis l'un des deux hauts réservoirs : les silos.

MOISSON D'AUTREFOIS

Quand les moissonneuses-batteuses n'existaient pas, le fermier devait employer beaucoup de monde pour couper et battre le blé.

Le faucheur coupe le blé avec un outil bien aiguisé : la faux. Les femmes rassemblent les tiges en gerbes qu'elles entourent avec un lien solide.

Le blé est battu à l'aide d'un fléau pour séparer les grains des tiges.

Grâce à l'invention de la batteuse, le travail devient moins fatigant.

AUX ETATS-UNIS

C'est le pays du monde qui produit le plus de nourriture ! Les fermes sont immenses. Celles où vivent les cow-boys s'appellent des ranchs.

Compte les moissonneuses-batteuses dans le champ de blé ! Pendant des jours entiers, elles circulent dans ce paysage sans arbres.

Oranges et citrons poussent dans les vergers de Floride.

Ces cavaliers qui conduisent les troupeaux, ce sont les cow-boys.

DEUX FERMES FRANÇAISES

Compare les paysages et les bâtiments d'une ferme de Normandie (au nord-ouest de la France) et d'une ferme de Picardie (tout au nord).

Le fermier normand habite une maison à colombages. Les prés, les champs et les vergers sont bordés de haies ou de ruisseaux.

Pour rejoindre les champs de blé, de pommes de terre ou de betteraves, le tracteur passe sous la porte cochère de cette ferme picarde.

DANS LES ALPAGES

Pendant l'été, des troupeaux de vaches viennent brouter l'herbe des prairies de haute montagne, les alpages. Leur lait sera excellent !

Le fermier passe l'été non loin de son troupeau, dans une ferme d'alpage. Il trait les vaches tôt le matin, quand il fait encore frais.

Les bidons de lait descendent vers la vallée… en téléphérique !

A la fromagerie, le lait est transformé en fromage.

UN MAS DE CAMARGUE

La Camargue se trouve au sud de la France. Le manadier y élève chevaux et taureaux. Il habite une maison au toit de chaume : le mas.

Les gardians conduisent le troupeau là où l'herbe est abondante. Les meilleurs taureaux participeront aux courses camarguaises.

AUX PAYS-BAS

Connais-tu les nombreux fromages de Hollande ? Ce pays est célèbre également pour ses moulins et pour ses magnifiques champs de tulipes.

Les polders sont des terres conquises sur la mer. Les moulins à vent pompent l'eau pour garder les prés et les maisons bien au sec.

Les Hollandais cultivent les fleurs sous serre ou en plein champ.
Puis ils expédient leurs bulbes ou leurs graines partout dans le monde.

UNE FAZENDA AU BRESIL

Une fazenda, c'est une ferme où l'on élève des vaches ou des moutons. Les animaux broutent l'herbe dans une immense prairie : la pampa.

Les gauchos conduisent le troupeau de pâturage en pâturage. Ils veillent à ce que les jaguars ne viennent pas attaquer une vache.

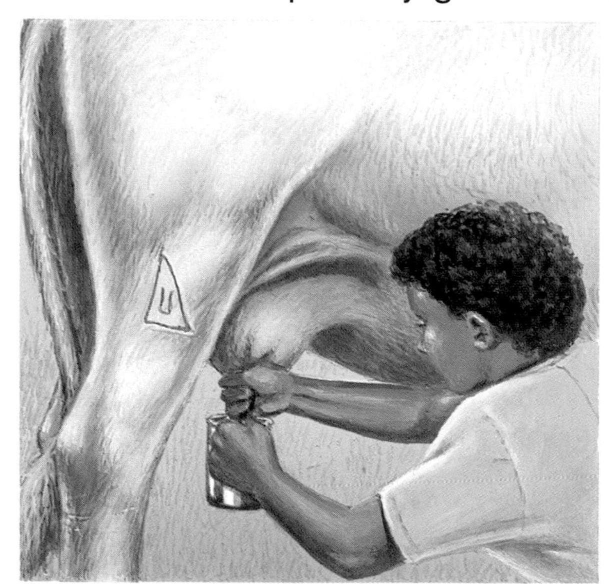

A la fazenda, même les enfants savent traire les vaches.

Un futur gaucho doit savoir s'occuper de son cheval !

UNE FERME EN AUSTRALIE

Le fermier vit à 300 kilomètres de son voisin le plus proche ! Le pilote d'hélicoptère lui apporte régulièrement courrier et médicaments.

Quand il circule en Jeep, le fermier évite de heurter les kangourous ! Le grand réservoir contient de l'eau pour les périodes de sécheresse.

Les moutons sont chargés dans des camions tirant plusieurs remorques ! Heureusement, les pistes n'ont pas de virages.

AU VILLAGE AFRICAIN

La terre est sèche, car il fait très chaud et il pleut rarement. Chaque matin, les femmes vont remplir leurs cruches à la rivière.

Les pierres alignées retiendront l'eau, qui pénétrera dans la terre.

Cette femme trait la chamelle, qui donne du bon lait.

Le blé est conservé, à l'abri des souris et des rats, dans des greniers de terre surélevés.

Cette maman pile le mil : elle écrase le grain. Avec la farine, elle fera des galettes.

Ces hommes nettoient le terrain autour du point d'eau.

ETRE FERMIER EN INDE

Dans les petites fermes d'Inde, l'agriculteur récolte souvent juste de quoi nourrir sa famille et les animaux qui l'aident dans les champs.

Le riz est tout doré. C'est le temps de la moisson dans les rizières.

Les hommes s'aident de palanches pour porter les gerbes de riz.

Le fermier n'a pas de tracteur. Deux bœufs tirent la charrette.

L'éléphant peut transporter une montagne de paille !

EN RUSSIE

Les paysans travaillent dans les kolkhoz, des fermes qui appartiennent à l'Etat. Ils cultivent aussi leurs champs et vendent leurs récoltes.

Une laiterie est installée dans ce kolkhoz où vivent plusieurs grands troupeaux de vaches. Le lait repartira de la ferme… en bouteille !

Les agriculteurs du sud de la Russie cultivent des pastèques.

Dans le Grand Nord, les rennes sont élevés pour leur viande.

L'ELEVAGE

MADAME LA VACHE

La vache est élevée pour le lait qu'elle fabrique, pour le veau qu'elle a chaque année et pour sa viande, vendue en boucherie.

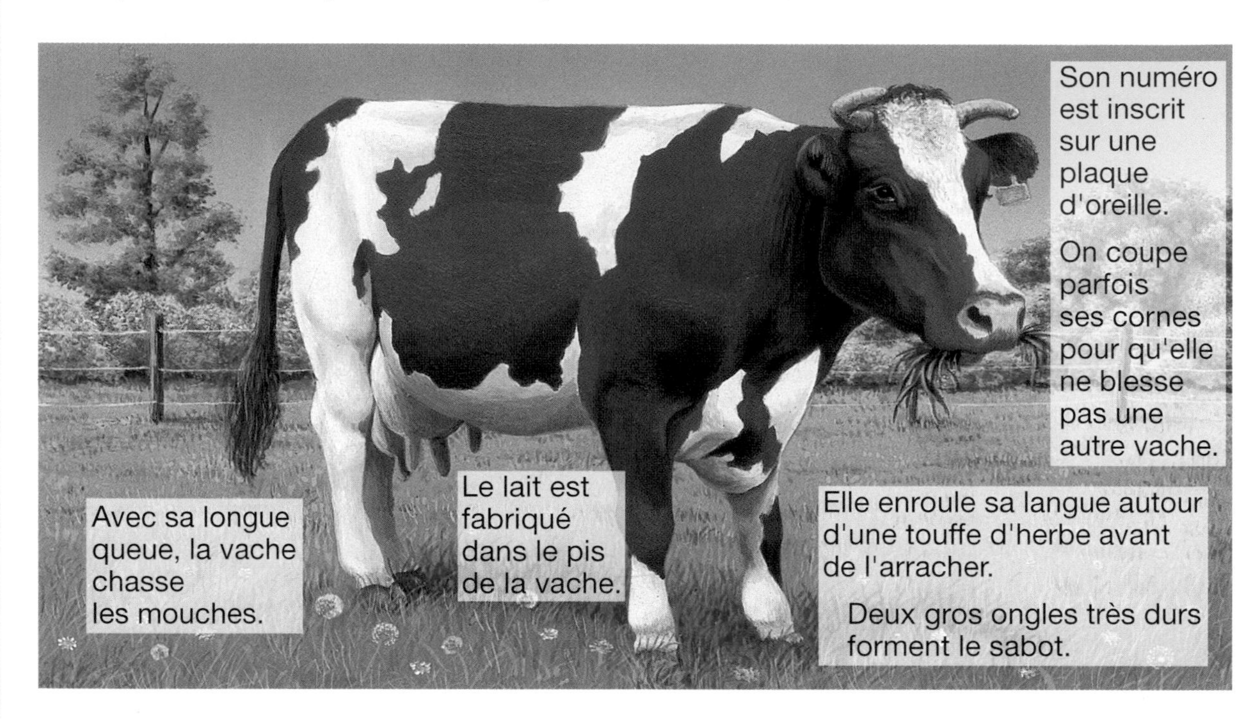

La vache rumine : elle envoie l'herbe dans la première poche de l'estomac, la panse. La boule d'herbe passe dans le bonnet, où de bons microbes la transforment. Puis l'herbe revient dans la bouche. La vache la broie et l'enduit de salive. Enfin, le repas circule dans les autres poches pour être digéré !

POUR QUE LA VACHE AIT DU LAIT

Une vache ne fabrique du lait que si elle est maman. Pendant les cinq à sept ans de sa vie de vache laitière, elle aura un veau chaque année.

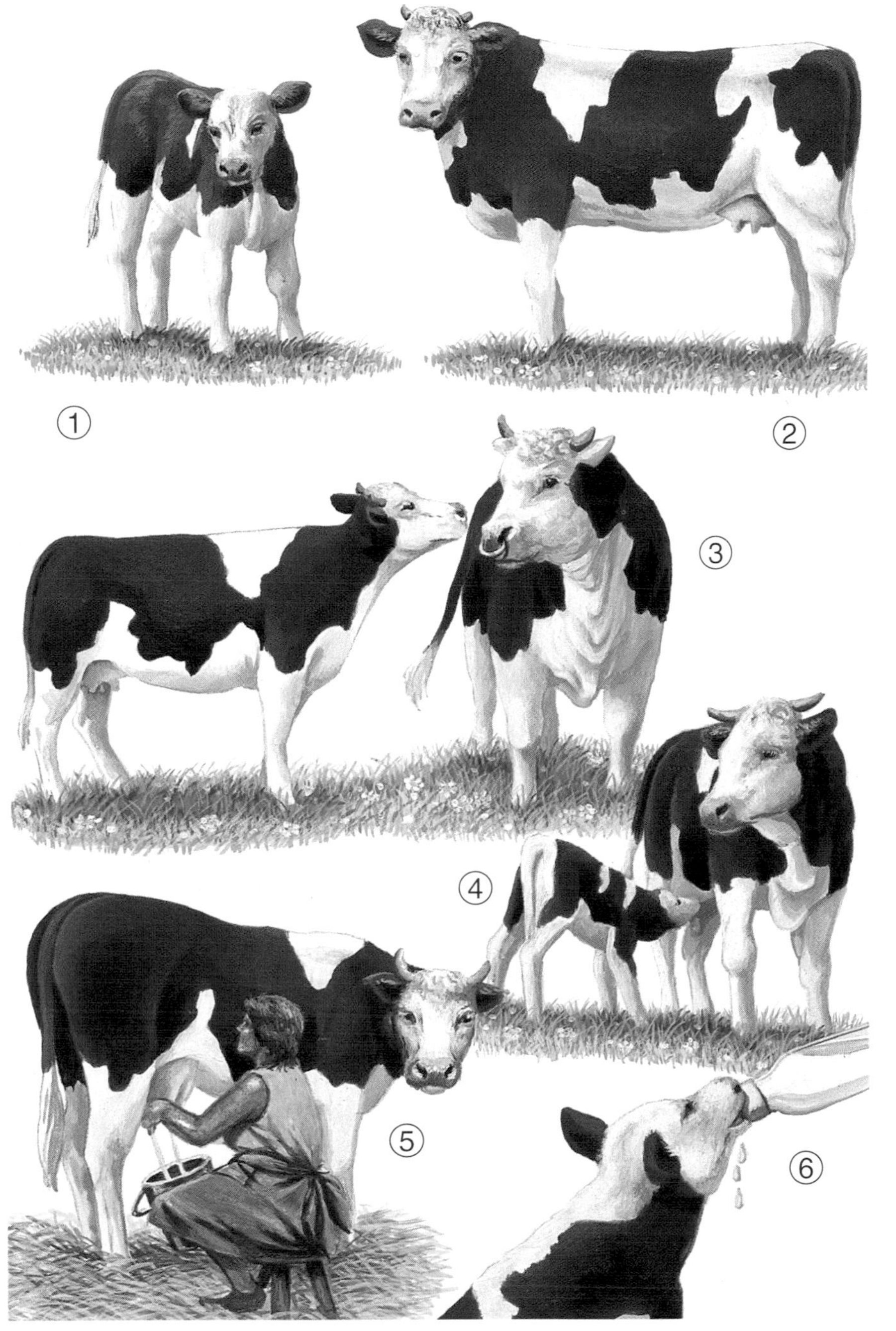

1. Ce bébé veau est une femelle.

2. Le veau est devenu une génisse : une jeune vache qui n'a pas encore de bébé.

3. A 2 ans, la génisse rencontre un papa taureau.

4. Neuf mois après, le bébé naît. Le pis de sa maman est gonflé de lait.

5. Quelques jours après, le bébé est séparé de sa mère. C'est la fermière qui trait le lait.

6. Le veau est nourri au biberon.

LA TRAITE DES VACHES

Traire une vache, c'est tirer le lait contenu dans son pis, comme le fait un veau qui tète. La traite a lieu deux fois par jour, matin et soir.

Pour faire du bon lait, les vaches mangent de l'herbe et boivent beaucoup d'eau. Le fermier appelle le chef du troupeau par son nom.

Le premier groupe de vaches arrive dans la salle de traite.

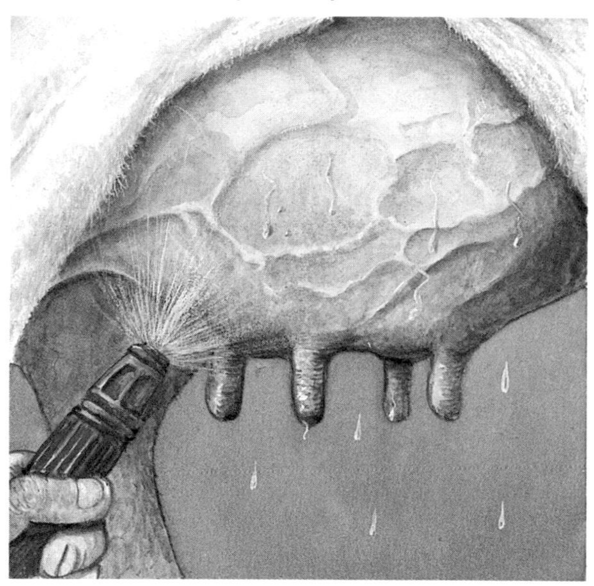

Les vaches sont sur une estrade. Le fermier nettoie leur pis.

Les mauvais microbes aimeraient se régaler du lait chaud qui sort du pis des vaches. Alors, le lait est refroidi rapidement dans le tank !

Une fois fixés aux tétines, les manchons aspirent le lait.

Depuis les manchons jusqu'au tank, le lait circule dans les tuyaux.

La traite est finie, le fermier nettoie la salle et le matériel.

Le laitier vient chercher le lait avec son camion-citerne.

A LA LAITERIE

Le lait est soigneusement contrôlé : sa qualité doit être parfaite. Avant de le transformer, on le chauffe pour éliminer les mauvais microbes.

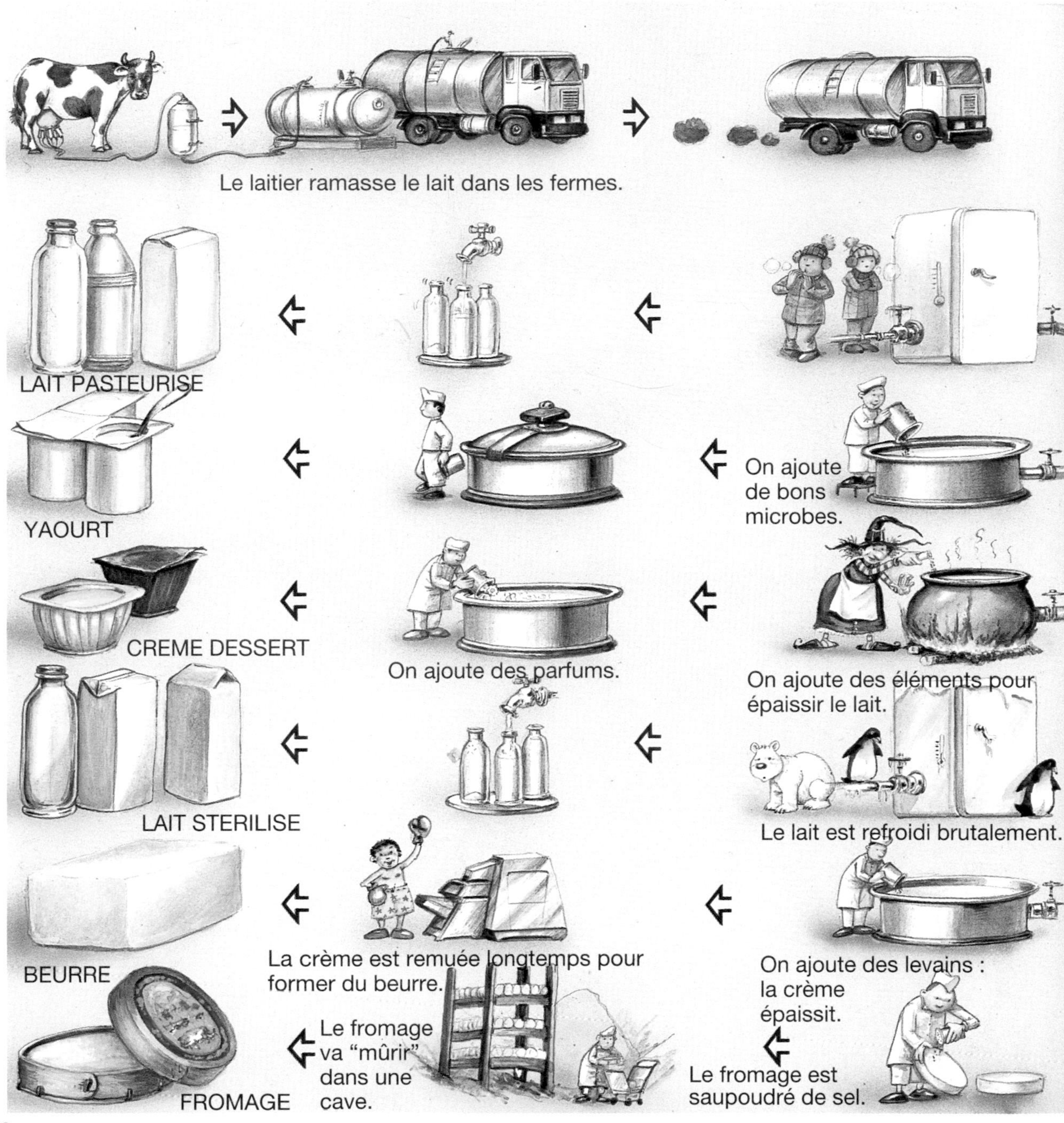

Pour transformer le lait, on lui ajoute des produits vivants microscopiques : la présure, les bactéries, les levains. Il faut bien les choisir pour que le laitage ait bon goût.

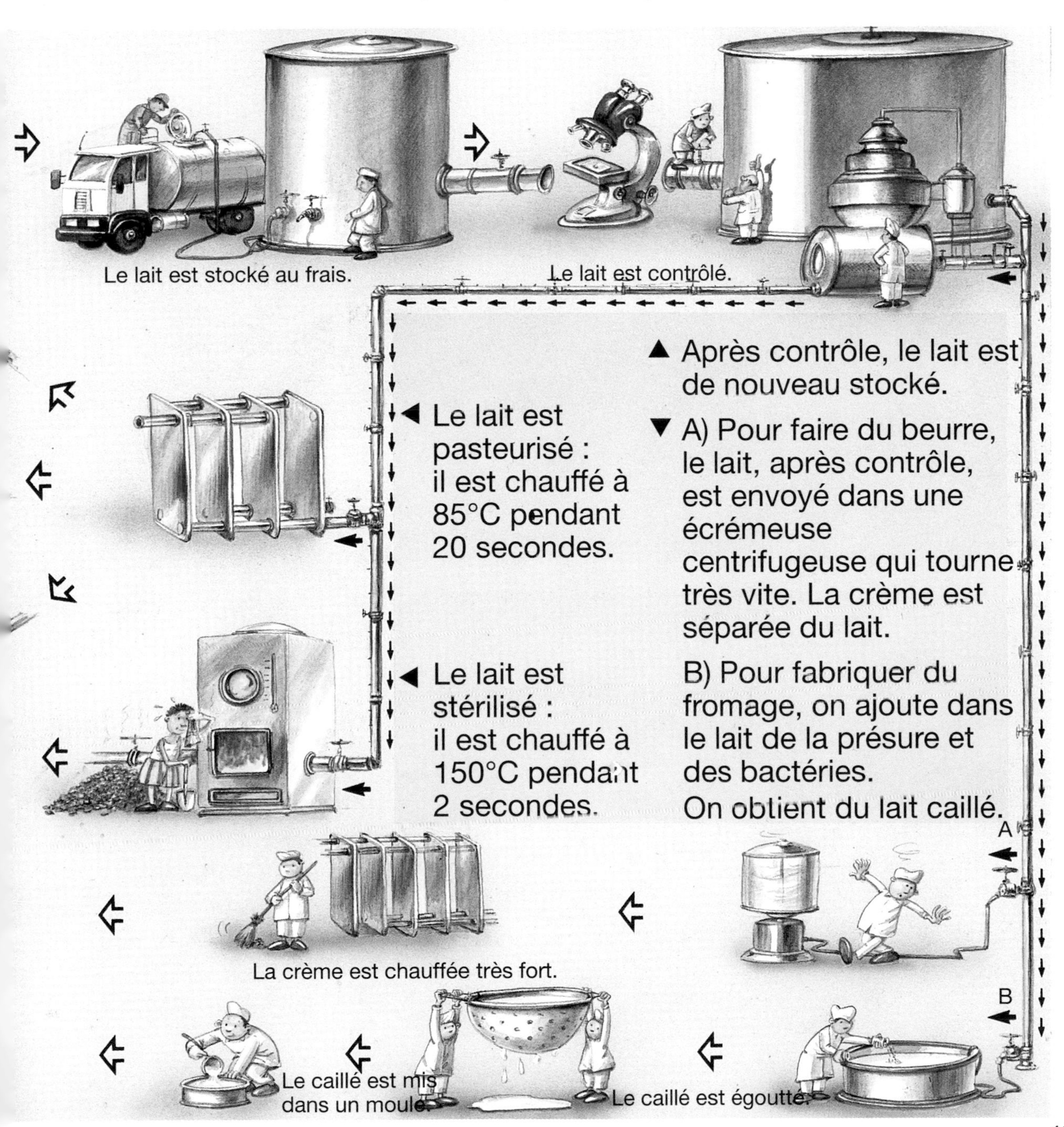

TAUREAU ET BŒUF

Quand ils ont 1 an, on peut opérer les jeunes taureaux pour qu'ils ne soient jamais papas. Ils deviennent des bœufs élevés pour leur viande.

Le taureau est le mari de la vache. C'est l'animal le plus puissant de la ferme. Il vit le plus souvent seul dans son pré. Le fermier l'attache en passant une corde à travers l'anneau fixé dans son nez.

Les bœufs ont beaucoup de force. Avant l'invention des tracteurs, ils étaient employés pour travailler dans les champs. C'est encore le cas dans beaucoup de pays du monde.

RACES DE BOVINS

La vache appartient à la famille des bovins. L'éleveur choisit une race réputée pour la qualité de sa viande ou pour celle de son lait.

La vache normande produit du bon lait et une viande excellente.

Les veaux de race charolaise sont élevés pour leur viande.

La vache frisonne bat des records dans la production de lait.

Robuste, la montbéliarde apprécie la vie dans les alpages.

CE QUE LES ANIMAUX PRODUISENT POUR NOUS

Amuse-toi à cacher les images des animaux. Puis devine quel animal nous donne tout ce qui est dessiné dans les cases de droite !

La vache est élevée pour sa viande et pour son lait. La peau du veau deviendra du cuir.

La toison du mouton nous donne la laine. Il est aussi élevé pour sa viande, sa peau et pour le lait des brebis.

La viande du porc, c'est la charcuterie : saucisses, pâtés, jambon, saucisson, côtelettes...

Le lait de chèvre donne d'excellents fromages. Sa peau sera transformée en cuir.

DANS LA FAMILLE MOUTON

Brebis, bélier et agneau sont des ruminants : toute la journée, ils broutent de l'herbe, ils mangent des feuilles et de jeunes rameaux…

La brebis la plus forte est le chef du troupeau. En cas de danger, les autres brebis se rapprochent d'elle, suivies de leurs agneaux.

Le bélier est le mari de toutes les brebis du troupeau.

La brebis a un ou deux agneaux. Ils naissent au début du printemps.

DE LA TOISON AU FIL DE LAINE

Les moutons sont tondus au printemps. Leurs poils repoussent pendant l'été et, l'hiver, une nouvelle toison de laine les protège du froid.

Le tondeur coince la brebis entre ses jambes et passe la tondeuse ou les ciseaux au ras de sa peau.

La brebis se retrouve toute nue et toute blanche !

Une maille à l'endroit, une maille à l'envers ! La laine cardée et filée peut être tricotée.

La laine passe dans des bains de teinture.

La laine peut être tissée sur de grands métiers : on entrecroise les fils pour fabriquer du tissu.

La laine lavée, démêlée et filée sera tricotée. Pour obtenir les longs fils qui servent à la fabrication de tissus, il faut en plus peigner la laine.

Les balles de laine arrivent à l'usine.

Après le lavage, la laine sera propre et blanche, mais tout emmêlée !

Une partie de la laine cardée passe directement au filage pour être étirée et tordue de nombreuses fois.

La laine est démêlée sur de gros cylindres : c'est le cardage. On obtient de la laine cardée.

La laine cardée et peignée est ensuite filée.

Une partie de la laine cardée est peignée : les mèches passent au travers de peignes de plus en plus fins.

FROMAGE DE BREBIS

La traite des brebis se fait à la bergerie. Puis, à la fromagerie, le lait est transformé en “caillé”, une pâte à fromage qui reposera en cave.

A la bergerie, on trait les brebis pendant 6 à 8 mois par an. Elles prennent ensuite du repos.

A la laiterie, on ajoute la “présure” au lait chaud pour qu'il “caille”.

Le caillé est coupé en petits cubes, brassé…

mis en moule et égoutté.

Le fromage obtenu est salé un jour sur une face, un jour sur l'autre…

Transporté en cave pour l'affinage : le fromage vieillit, “mûrit”, se transforme peu à peu pendant plusieurs semaines, avant d'être vendu.

DANS LA FAMILLE COCHON

Maman truie, papa verrat et leurs nombreux bébés porcelets font partie de la famille cochon. On les appelle aussi des porcs.

La truie peut avoir douze porcelets deux fois dans l'année. A la naissance, chaque porcelet cherche sa tétine. Il boira toujours à la même.

Le verrat mange tout ce qu'on lui donne : maïs, pommes de terre cuites, farine. Avec son groin, il déterre racines, insectes et vers.

ELEVAGE DE PORCS

Certains porcs vivent dans de grands enclos. D'autres sont élevés dans des porcheries industrielles : ils ne gambaderont jamais en plein air.

Truies et porcelets attendent avec impatience l'arrivée du fermier. Ils le connaissent et savent à quelle heure il apporte leur repas !

La truie est bloquée par une barre pour qu'elle n'écrase pas ses petits.

Le caca passe à travers le sol en caillebotis et rejoint la fosse à lisier.

Quand les porcelets auront suffisamment grossi, l'éleveur les enverra à l'abattoir. Leur viande sera transformée en charcuterie.

Ces porcs se roulent dans la boue pour se débarrasser de leurs poux.

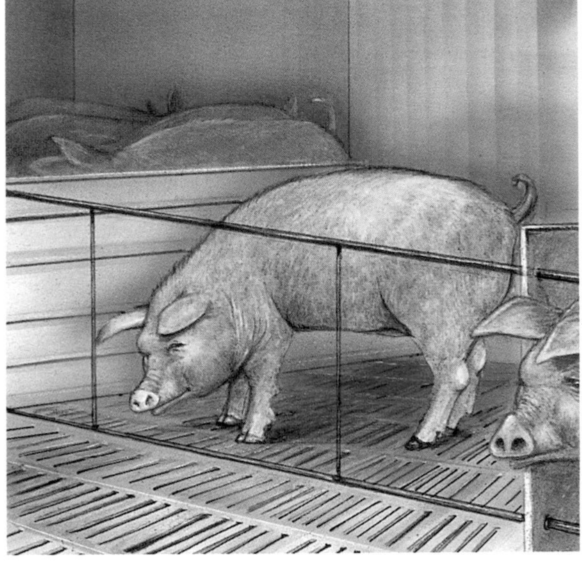

Le verrat ne vit pas avec les truies. Il est isolé dans sa case.

L'éleveur réunit les porcs de même âge et de même poids.

Les porcs n'apprécient pas l'arrivée d'un petit nouveau.

REUNION DE COUSINS COCHONS

Tous les cochons ne sont pas roses, mais tous sont les cousins d'un animal sauvage : le sanglier. Lequel lui ressemble le plus ?

1. Le Large-White est tout blanc.

2. Le porc basque a une tête bien ronde et les oreilles tombantes.

3. Le porc gascon est tout noir.

4. Le porc corse se promène librement dans la nature. Il adore les pique-niques des vacanciers.

5. Voici le porc Hampshire.

6. Ce cochon de race piétrain est rose et noir.

7. Le cochon truffier flaire un excellent champignon : la truffe. Il la déterre avec son groin.

DANS LA FAMILLE CHEVRE

La chèvre est un ruminant. Elle se régale d'herbe, de bourgeons et de fleurs ! Sa peau sent très fort, et celle du papa bouc encore plus !

Maman chèvre a un ou deux chevreaux qui tètent ses deux mamelons. Dans le troupeau, elle les reconnaît à leur bêlement.

Les boucs mesurent leur force en se battant à coups de cornes.

La chèvre est très agile, car elle marche sur le bout de ses sabots.

FROMAGE DE CHÈVRE

Les chèvres qui sont élevées pour leur lait attendent des chevreaux chaque année. Une chèvre produit jusqu'à 600 litres de lait par an !

A cinq jours, chevreaux et chevrettes sont nourris au biberon.

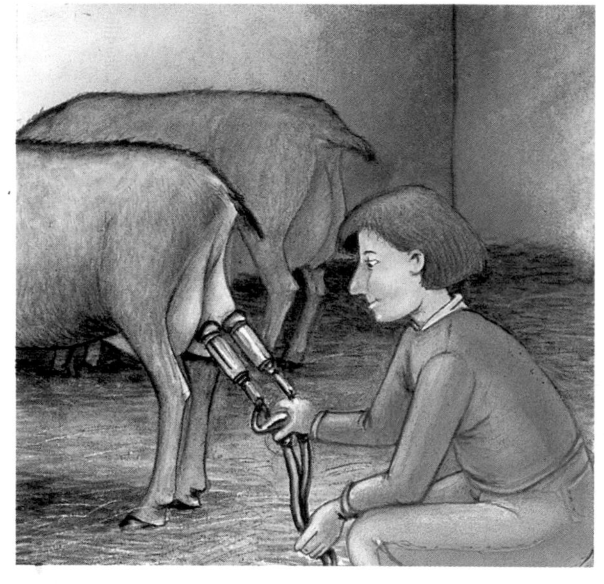

Dans la chèvrerie, la trayeuse aspire le lait des mamans.

Les fromages de chèvre peuvent se manger frais, demi-secs ou secs. Dans le fromage "mi-chèvre", on a ajouté du lait de vache.

LES HABITANTS DU POULAILLER

Les poules n'ont pas de dents : elles avalent des cailloux qui broient la nourriture dans leur gésier. Elles aiment les graines et les vers de terre !

Les poules se couchent tôt et se réveillent au chant du coq.
Elles pondent surtout à la belle saison, quand les jours sont plus longs.

Le coq est le mari des poules.
Tôt le matin, il réveille les animaux.

Dès qu'ils sortent de l'œuf, les poussins se nourrissent tout seuls.

ELEVAGE DE POULES

Les poules sont élevées soit en plein air, soit dans de grands hangars éclairés 16 heures par jour pour qu'elles pondent même en hiver !

Au menu : maïs, blé, luzerne, soja, vitamines et... coquillages broyés ! Grâce aux coquillages, la coquille des œufs sera plus solide.

Les œufs de ces poules roulent sous la cage, puis voyagent sur un tapis roulant jusqu'aux machines qui les trieront par taille.

L'OIE

Attention à l'oie ! Elle peut pincer avec son bec. Elle est élevée pour sa viande et pour les petites plumes qui couvrent son ventre : le duvet.

Les oies marchent en balançant leur derrière : on dit qu'elles se dandinent. Elles vivent en troupeau avec leurs maris : les jars.

Les oies crient en cas de danger. On dit qu'elles cacardent.

Certaines couettes sont remplies avec le chaud duvet de l'oie.

DINDON, PINTADE ET PIGEON

Ce sont tous des oiseaux, mais seul le pigeon peut s'envoler !
Il retrouve sa femelle au pigeonnier. Chaque couple a son casier.

Le dindon est le plus gros oiseau de la basse-cour. Pour plaire à la dinde, il parade : il fait la roue en écartant les plumes de sa queue.

Bagarreuses, les pintades vivent en volière, loin de la basse-cour.

Le pigeon se nourrit de graines. Il aime aussi les petits escargots.

DANS LA FAMILLE CANARD

Les canards sont des oiseaux que l'on élève pour leur viande.
Bien nourris, ils deviennent lourds et ne peuvent plus s'envoler.

Maman cane et papa canard conduisent leurs canetons près de la mare.
Ils leur apprendront à agiter leurs pattes palmées pour glisser sur l'eau.

Le canard plonge l'avant du corps pour attraper vers et têtards.

Chez les canards, les mâles ont un plumage aux couleurs vives !

LES MAMANS ET LEURS PETITS

Les mamans couvent les œufs pour que leurs bébés aient bien chaud. Ils se nourrissent d'abord du jaune d'œuf. Le blanc les protège des chocs.

Pour sortir de l'œuf, le bébé de la poule casse sa coquille avec la bosse dure que tu distingues sur son bec. On l'appelle le diamant. Il disparaît après l'éclosion.

Maman oie doit surveiller ses bébés oisons lorsqu'ils naissent : ils suivent partout ce qu'ils voient en sortant de leur coquille. Ce peut être une poule... ou la fermière !

DANS LA FAMILLE LAPIN

Plusieurs fois par an, la lapine met au monde une portée de quatre à douze lapereaux. A leur naissance, ils sont aveugles et sourds.

La nuit, le lapin fait des crottes toutes molles. Il les avale pour les digérer à nouveau. Et, le jour, ses petites crottes sont dures et rondes.

Les lapins se régalent de foin, de carottes… et de granulés.

Maman lapine tapisse son nid avec les poils de son ventre.

ETRANGE ANIMAL

Animal inventé... en mélangeant d'autres animaux. Retrouve de quel animal vient chaque partie. A toi de créer des animaux extraordinaires en feuilletant ton livre.

LES CEREALES

LES CEREALES

Ces plantes portent des épis composés de nombreux grains bien alignés. Le fermier attend qu'ils soient bien mûrs pour les récolter.

La farine de blé est utilisée pour la confection du pain et des pâtes.

Les chevaux aiment les grains d'avoine, entiers ou en flocons.

Le millet et le sorgho supportent la sécheresse de l'Afrique.

Le vrai pain d'épice contient du miel et de la farine de seigle.

Les céréales sont cultivées dans le monde entier. Les hommes font du pain de blé, du pain de seigle, des galettes de mil, de maïs ou de riz.

Les grains de maïs servent souvent à faire de la farine pour les animaux.

Les porcs mangent de la farine d'orge. Les vaches préfèrent les grains d'orge écrasés !

Le riz pousse la tête au soleil et les pieds dans l'eau. Les enfants d'Asie en mangent à chaque repas.

DANS LE CHAMP DE BLE

Le grain de blé ressemble à un petit œuf creusé sur sa longueur. Enfoui dans la terre chaude et humide, il se réveille : il germe.

Les racines descendent puiser la nourriture dans le sol. Les tiges creuses et résistantes vont porter les lourds épis chargés de grains.

L'été, bleuets et coquelicots se mêlent aux tiges de blé. Repère les nombreux animaux qui trouvent abri et nourriture dans le champ.

JEUX POUR LES YEUX ET LES OREILLES

Avant de jouer, rappelle-toi qu'une céréale, c'est une tige creuse qui porte des grains. Si tu hésites, tourne les pages de ton imagerie pour trouver la réponse.

Ouvre tes oreilles : si tu entends un nom de céréale, montre le panier. Sinon, montre la poubelle.

LE MOULIN A VENT

Il reste très peu de moulins à vent. Autrefois, c'est là que les paysans apportaient les grains de blé pour qu'ils soient transformés en farine.

Le vent fait tourner les ailes du moulin. Celles-ci entraînent alors la meule : un lourd cylindre qui broie les grains de blé.

Tout en haut du moulin, le meunier verse le blé.

En bas du moulin, la farine tombe dans le sac.

LA FABRICATION DU PAIN

Le boulanger se lève tôt pour que le pain soit prêt à l'heure du petit déjeuner. Il travaille dans le fournil où se trouvent le pétrin et le four.

Le pétrin mécanique mélange la farine, l'eau et le sel.

Grâce à la levure, la pâte gonflera et deviendra élastique.

Autrefois, le boulanger formait des pâtons à la main et les pesait. Aujourd'hui, c'est la diviseuse qui fait le travail.

Puis le boulanger façonne le pain, il lui donne la forme voulue : allongée, arrondie…

CUISSON DU PAIN

Les pâtons reposent et gonflent. Avant d'enfourner, le boulanger « signe son pain » : il fend la pâte avec une lame.

La pelle de bois, ou un tapis roulant, dépose les pâtons dans le four.

La croûte du pain durcit et dore. La mie sera tendre et blanche.

Une fois sorti du four, le pain refroidit avant d'être vendu.

Reconnais-tu la baguette, la couronne, le pain-épi ?

RECETTE DU PAIN PERDU

Ne jette pas le pain rassis, un peu dur. Il n'est pas perdu pour tout le monde : tu peux l'utiliser pour réaliser ce bon plat sucré !

Tu bats un œuf entier avec un peu de lait.

Trempe dans ce mélange les deux faces d'une tartine de pain rassis.

Fais fondre du beurre dans une poêle pour y dorer la tartine.

Saupoudre la tartine dorée et chaude de sucre blanc ou roux.

LE MAÏS

Les tiges de maïs poussent très haut. Elles ont besoin de beaucoup d'eau. Le fermier les coupe en automne, quand les épis sont mûrs.

Les fleurs mâles sont regroupées en haut de la tige. Elles libèrent le pollen qui arrive sur les soies des fleurs femelles. Les fleurs femelles vont alors se transformer en grains.

Chaque "cheveu" de soie est relié à un grain de l'épi de maïs.

Ouvre le rouleau de feuilles pour découvrir les grains blonds.

TRANSFORMER LE MAÏS

Le plus souvent, on cultive le maïs pour nourrir les animaux de la ferme. Pour les hommes, il existe des variétés plus sucrées.

Si le maïs est coupé avant d'être mûr, la plante est hachée et mise à fermenter sous une bâche. Si le maïs est coupé lorsque les grains sont mûrs, ceux-ci sont stockés dans des séchoirs. Le fermier nourrira les animaux avec les grains ou la plante hachée.

Les mexicains mangent du maïs grillé ou des crêpes à la farine de maïs : les tortillas.

Le maïs doux est une espèce plus sucrée. Tu le connais : on le déguste en salade ou en pop-corn !

LA CULTURE DU RIZ

Pour pousser, le riz a besoin de chaleur et d'humidité. L'eau qui inonde les champs arrive par des canaux reliés à un cours d'eau.

Dans la rizière, les tiges sont arrachées par touffes…

… et repiquées bien espacées. Des épis se forment sur les tiges.

Quand les grains blondissent, la rizière est asséchée.

La moissonneuse ne s'enlisera pas : elle est montée sur chenilles.

DU RIZ TOUT AUTOUR DU MONDE

Originaire d'Asie, le riz est aussi cultivé aux Etats-Unis, en Afrique, et dans quelques pays qui bordent la Méditerranée, dont la France.

Les petites parcelles creusées en gradins dans la montagne, ce sont des rizières. Hérons et canards y cherchent vers, graines et grenouilles.

Aux Etats-Unis, les avions sèment de grandes quantités de riz germé. Il ne sera pas repiqué.

Dans le sud de la France, en Camargue, le riziculteur utilise un tracteur à roues-cages.

GRAINS, FARINE ET PAILLE DE RIZ

La plupart des habitants d'Asie mangent du riz à chaque repas. Il n'a pas toujours le même goût : il existe des dizaines de variétés !

Cet enfant mange le riz contenu dans son bol avec des baguettes.

La farine de riz sert à faire des galettes et de longues nouilles.

Ces chapeaux et ces sacs sont fabriqués avec de la paille de riz

Dans certaines îles d'Asie, la paille de riz couvre les huttes.

DU RIZ DANS UNE MARACA !

Une maraca, c'est un instrument rempli de graines que l'on agite pour marquer le rythme des danses. Les grains de riz donneront un joli son.

1 - Donne plusieurs couches de peinture sur un rouleau de carton.

2 - Couvre le fond avec du papier adhésif toilé de couleur vive.

3 - Dans chaque bol, verse quelques gouttes d'encre de couleur sur les grains de riz.

Mélange et fais sécher 5 minutes dans un four, à température très douce.

4 - Trace un motif en pressant un tube de colle forte.

5 - Verse le riz coloré (une seule couleur). Secoue le rouleau pour chasser les grains qui ne sont pas encollés. Laisse sécher avant de changer de motif et de couleur.

6 - Verse quatre poignées de riz dans le rouleau. Ferme avec le papier adhésif. Musique !

RECETTE DU RIZ AU LAIT

Pour quatre personnes, prépare 10 cuillerées à soupe de riz rond et un demi-litre de lait. Attention aux liquides brûlants, demande de l'aide !

① 

Verse le riz dans une grande quantité d'eau bouillante.

② 

Au bout de 3 min, égoutte le riz dans une passoire.

③ 

Jette le riz égoutté dans 1/2 l de lait bouillant.

④ 

Ajoute une pincée de sel, un sachet de sucre vanillé, couvre le récipient et laisse cuire à feu doux pendant 15 min.

⑤ 

Hors du feu, ajoute 4 cuillerées à soupe de sucre en poudre.

⑥ 

Laisse le plat refroidir avant de le servir. Bon appétit !

LES LEGUMES

LA CULTURE DES LEGUMES

Les légumes sont des plantes qui se mangent crues ou cuites, mais pas en dessert. On les cultive au potager, sous serre ou en plein champ.

Dans le potager, le jardinier cultive les légumes que l'on cuisait autrefois dans un grand pot pour en faire une bonne potée.

Dans la serre chaude et humide, les légumes poussent plus vite.

Grâce à ce tunnel en plastique, les cultures ne gèleront pas.

DES RACINES ET DES BULBES

Certains légumes font de grosses réserves de nourriture sous terre dans une racine ou dans un bulbe.

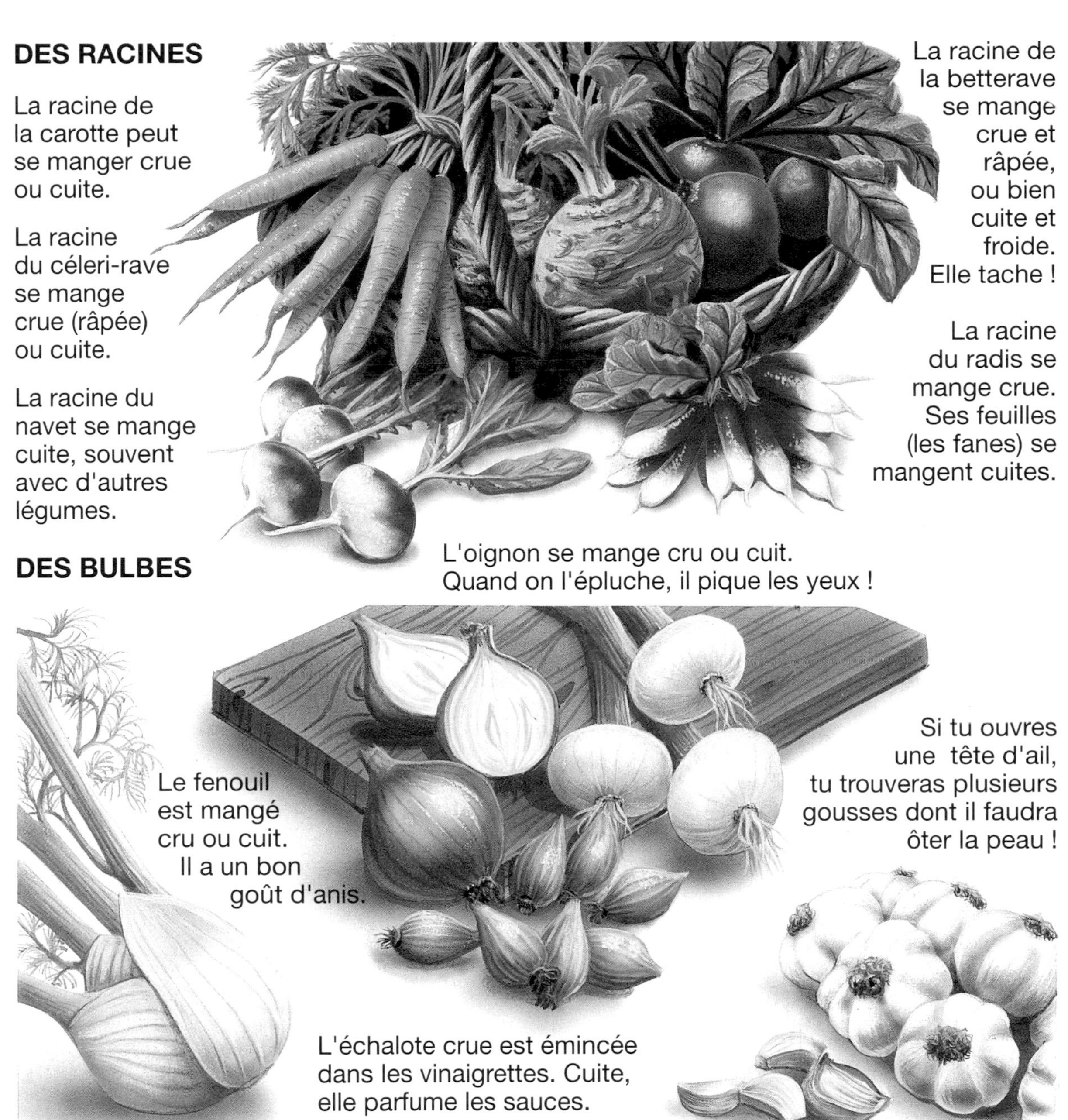

DES RACINES

La racine de la carotte peut se manger crue ou cuite.

La racine du céleri-rave se mange crue (râpée) ou cuite.

La racine du navet se mange cuite, souvent avec d'autres légumes.

La racine de la betterave se mange crue et râpée, ou bien cuite et froide. Elle tache !

La racine du radis se mange crue. Ses feuilles (les fanes) se mangent cuites.

DES BULBES

L'oignon se mange cru ou cuit. Quand on l'épluche, il pique les yeux !

Le fenouil est mangé cru ou cuit. Il a un bon goût d'anis.

Si tu ouvres une tête d'ail, tu trouveras plusieurs gousses dont il faudra ôter la peau !

L'échalote crue est émincée dans les vinaigrettes. Cuite, elle parfume les sauces.

Les cuisiniers parfument leurs plats et leurs sauces avec ces plantes. Tu peux t'entraîner à reconnaître leur odeur et leur goût !

MANGER DE LA SALADE !

L'endive est presque blanche car elle a grandi sans voir la lumière du soleil. La laitue aux feuilles tendres et vertes a poussé au grand jour !

Une graine de laitue est semée au milieu de chaque cube de terreau. Les petits plants poussent très serrés. Ils seront repiqués, bien espacés.

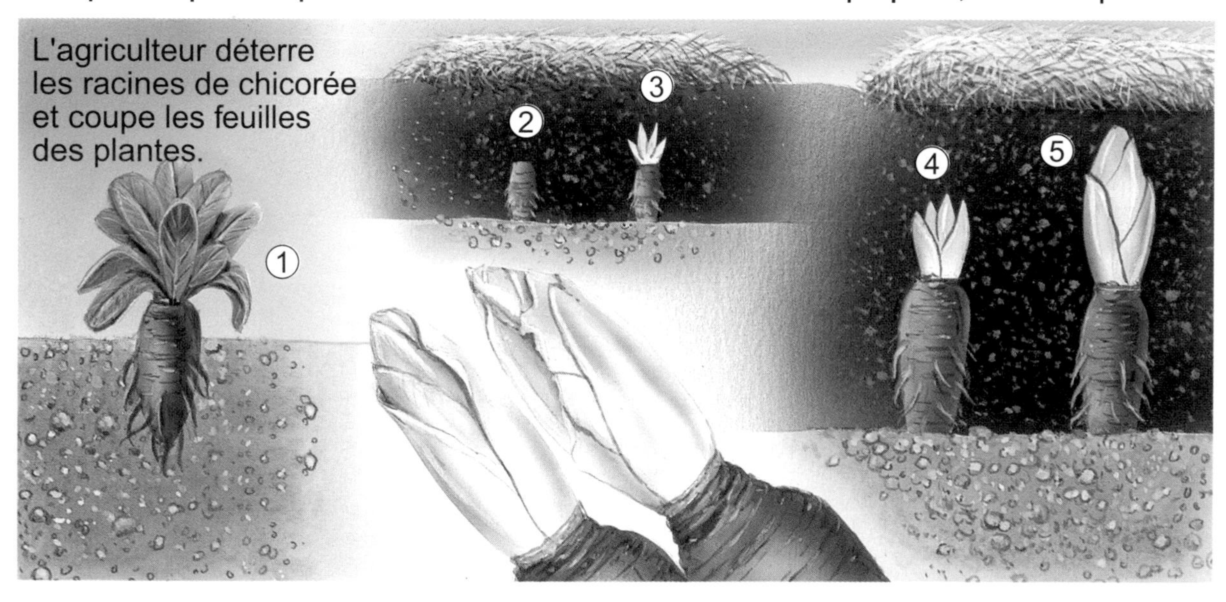

Les racines sont recouvertes de terre puis de paille. Des feuilles blanches se développent et forment de gros bourgeons : les endives.

LEGUMES ... OU FRUITS ?

Tu les manges en entrée ou avec le plat principal, comme les légumes. Or ce sont des fruits : ils naissent de la transformation d'une fleur !

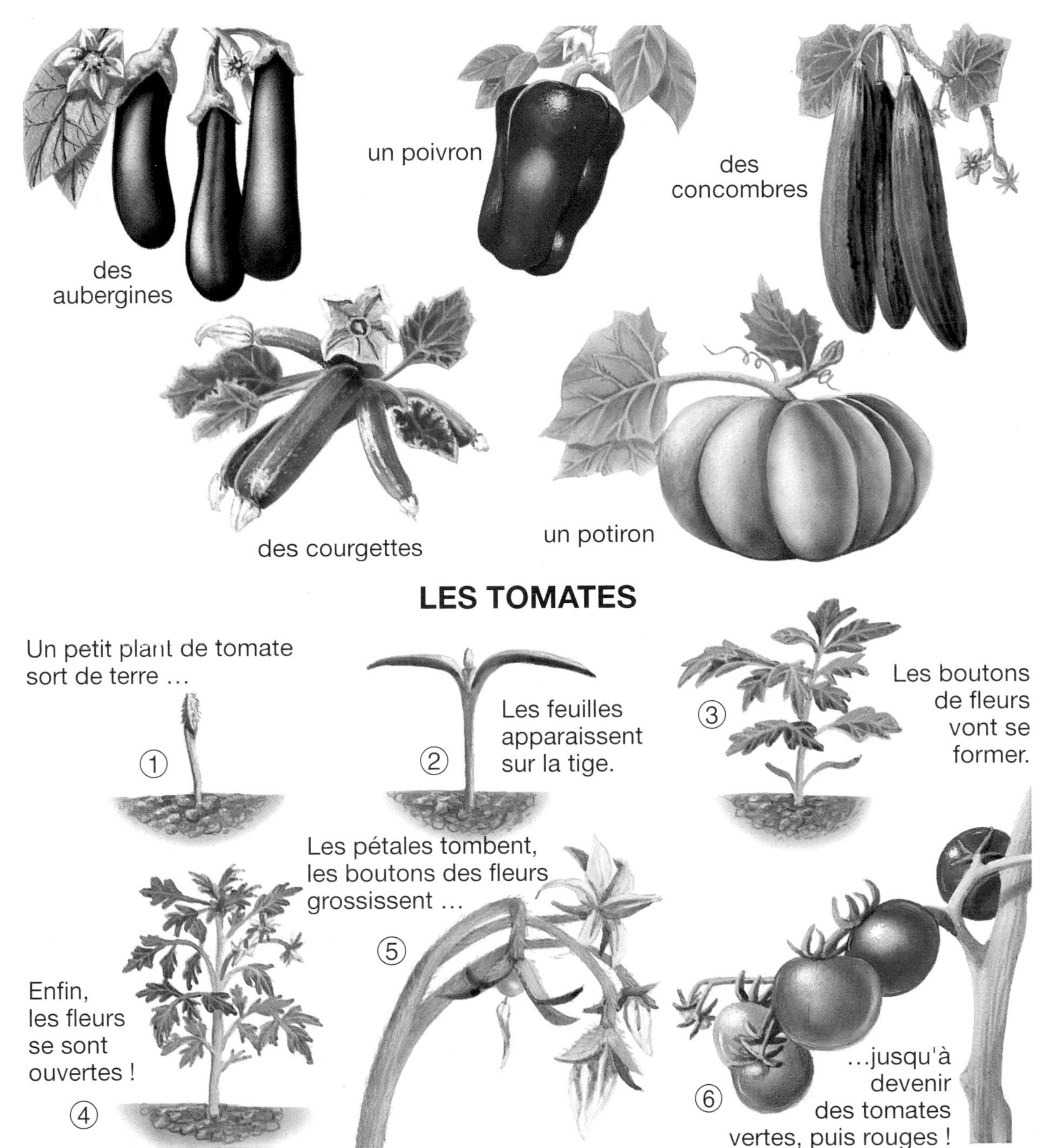

UN BOUTON DE FLEUR : L'ARTICHAUT

Si l'artichaut en fleur ressemble à un chardon géant, c'est parce qu'ils sont cousins ! Mais l'artichaut se mange et il ne pique pas !

L'artichaut est une plante aux feuilles larges et dentelées. Ses tiges hautes et épaisses supportent le poids des lourds boutons.

Le cœur de l'artichaut est protégé par des poils, le foin. Si on ne cueille pas le bouton, les poils se transforment en grosse fleur violette !

UNE BONNE GRAINE : LA FEVE

Après la cueillette, les fèves vertes et tendres sont détachées de leur cosse. Une fois séchées, elles se garderont jusqu'en hiver.

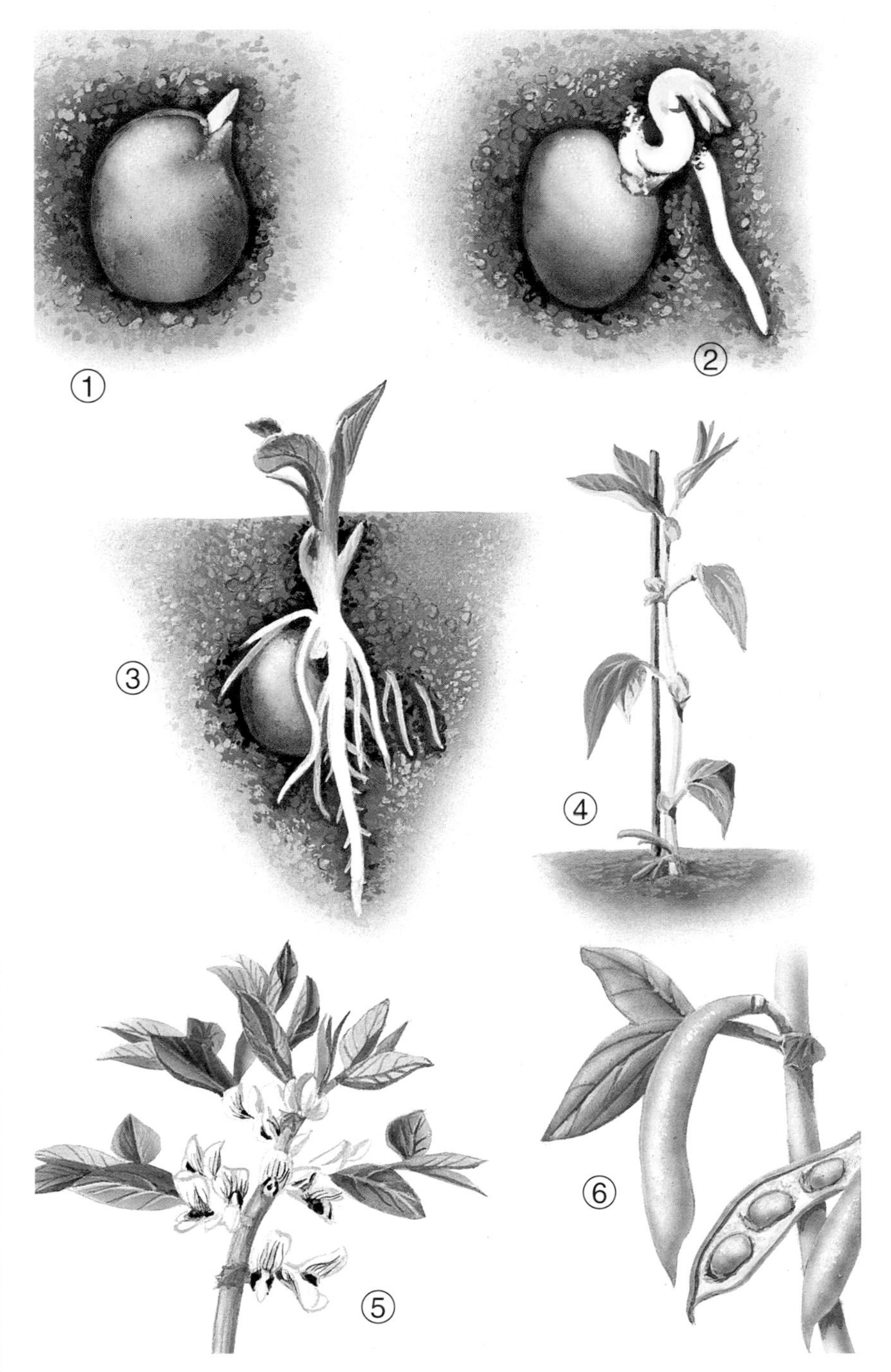

1. Bien au chaud sous la terre, une fève a germé.

2. La racine va puiser l'eau dans le sol.
La pousse perce vers la surface.

3. La pousse est sortie de terre.
De petites racines apparaissent sur la première racine.

4. Le plant de fèves grimpe le long d'un tuteur.

5. Au cœur des fleurs, des cosses vont se former.

6. Les pétales sont tombés et les jeunes fèves ont grossi dans les cosses.

DES GOUSSES ET DES GRAINES

Tu peux manger les graines qui ont grandi dans les gousses, comme les fèves. Mais parfois tu manges… les gousses encore jeunes.

Les petits pois sont des graines qui grandissent dans une longue enveloppe : la gousse. On les cueille lorsqu'ils sont encore jeunes et très tendres. Il faut alors écosser les gousses : les ouvrir pour en sortir les graines.

Tu manges la gousse du haricot vert. Elle est cueillie avant que ses graines ne grossissent. Le jardinier laisse certaines variétés de graines grossir. Puis il coupe les tiges et les fait sécher. Lorsqu'il ouvrira les gousses bien sèches, il détachera… des haricots rouges ou blancs !

PETITS CHOUX ET GROS CHOUX

Les choux appartiennent à une famille nombreuse ! Selon les espèces, tu manges leurs feuilles, leurs fleurs et parfois même leurs bourgeons !

La fleur blanche du chou-fleur est protégée du soleil par ses feuilles.

Les choux de Bruxelles sont des bourgeons qui poussent sur la tige.

Les pousses fleuries du brocoli sont vertes, rouges ou blanches.

Près du cœur, les feuilles du chou pommé sont presque blanches.

LA POMME DE TERRE

Le jardinier plante des pommes de terre germées : les germes sortent par de minuscules « yeux » noirs, puis ils percent la surface du sol.

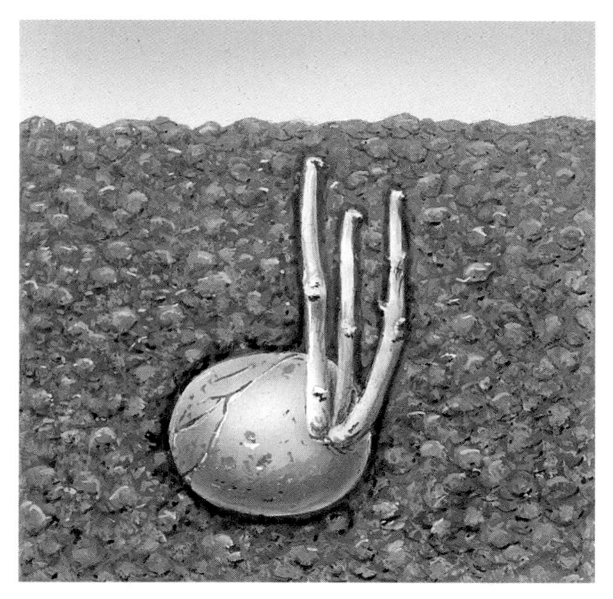

Les germes puisent leur nourriture dans la pomme de terre.

A la lumière du jour, les tiges se couvrent de feuilles.

Le plant est en fleur. Sous terre, la pomme de terre se ratatine.

Les fleurs fanent. Il faut déterrer les nouvelles pommes de terre !

LA RECOLTE DES POMMES DE TERRE

Certaines variétés de pommes de terre sont ramassées à la main. D'autres, moins fragiles, passent immédiatement dans une trieuse.

Ici l'arracheuse-aligneuse déterre les pommes de terre. Elles seront ramassées à la main, pour ne pas être abîmées, et mises en sac.

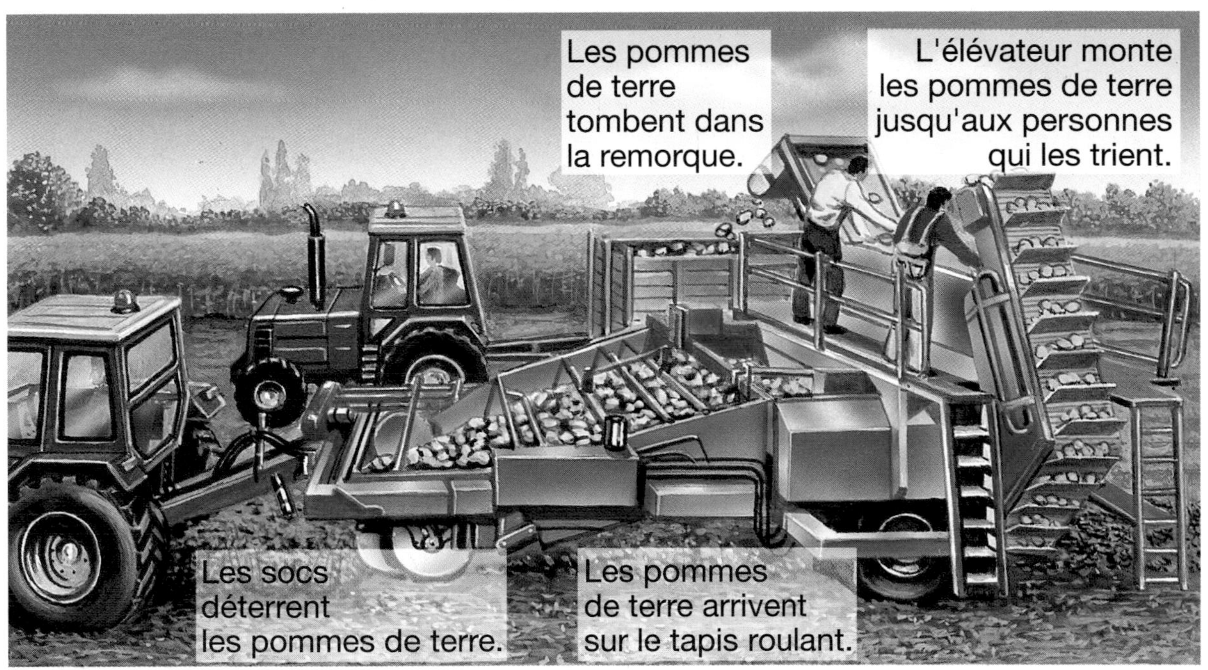

L'HISTOIRE DE LA POMME DE TERRE

Si tu étais né en Europe avant l'an 1600, tu n'aurais jamais mangé de pommes de terre... ni de chips, ni de frites, ni de purée !

En 1524, des navigateurs espagnols débarquent sur les côtes du Pérou.

Dans ce pays, les Indiens cultivent la pomme de terre depuis longtemps.

Les navigateurs envoient des pommes de terre au roi d'Espagne.

Celui-ci en offre au pape. Peu à peu, la pomme de terre se répand en Europe.

En France, les savants prétendent qu'elle donne de graves maladies.

La pomme de terre ne serait bonne qu'à nourrir les animaux !

Monsieur Parmentier est le premier à présenter ce légume à ses invités.

Il offre des fleurs de pomme de terre au roi Louis XVI et à la reine.

Malin, il fait surveiller un champ... pour que l'on vole les pommes de terre !

AU PRINTEMPS, RECOLTE DES POMMES DE TERRE

Couvre un grand bocal de verre d'un sac-poubelle noir. Pour observer le développement de ta plantation, ôte de temps en temps le sac.

1 – Laisse germer une pomme de terre dans un endroit éclairé et chaud.

2 - Dispose des graviers au fond du bocal, puis remplis-le d'un mélange de terreau et de terre.

Enfouis ta pomme de terre, germes vers le haut, à au moins dix centimètres de profondeur.

3 - Place le bocal près d'une fenêtre.

4 - Arrose régulièrement.

5 - Une tige, puis des petites feuilles vont se former. Environ trois mois après, tu pourras récolter des bébés pommes de terre !

LES BONSHOMMES-LÉGUMES

Tu peux te servir de légumes pour créer des personnages
qui décoreront une table de fête.
Munis-toi de beaucoup de cure-pipes pour les assembler.

Pour la tête :
un gros chou vert.
Pour les yeux :
des champignons
de Paris.
Pour la bouche
et les oreilles :
des radis.
Pour les cheveux :
des petites
tomates.
Pose la tête sur
un pot de fleurs que
tu auras entouré
d'un cache-pot vert.

Pour le chapeau,
découpe un poivron
rouge. Pose-le sur
une aubergine
coupée (pour
qu'elle tienne
debout).
Entaille l'aubergine
pour y mettre
un morceau de
poivron : ce sera
la langue.
Les yeux et le nez
sont en rondelles
de poireaux.
La barbe vient aussi
du poireau !

LES FRUITS

NAISSANCE D'UNE POMME

Pendant que l'abeille se nourrit du nectar d'une fleur, elle charge ses pattes de pollen. Elle le déposera au cœur d'une autre fleur…

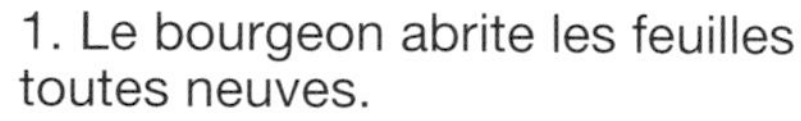

1. Le bourgeon abrite les feuilles toutes neuves.
2. Au printemps, le bourgeon éclate et les feuilles se déplient.
3. Les boutons de fleur apparaissent.
4. Les pétales de la fleur sont ouverts. Une abeille s'y pose. Le pollen, c'est la poussière jaune qui colle à ses pattes.
5. L'abeille a déposé le pollen au cœur d'une autre fleur. Une petite pomme va alors se former sous les pétales.
6. La fleur du pommier fane et la pomme grossit et s'arrondit.
7. Sur cette jeune pomme, remarques-tu les restes de la fleur ?

DANS LE VERGER

Les pommes à croquer ne doivent pas tomber : elles s'abîmeraient. Alors les pommiers sont taillés pour faciliter la cueillette sur l'arbre.

Les ramasseurs de pommes arrivent au verger tôt le matin.

Le vibreur agite l'arbre pour faire tomber les pommes à cidre.

Les pommes sont des fruits pleins de vitamines. Selon les variétés, leur goût est plus ou moins sucré, leur chair plus ou moins juteuse.

DE LA POMME AU CIDRE

Les pommes à cidre sont riches en sucre. Dans le tonneau, c'est le sucre qui transformera le jus de pomme en boisson alcoolisée.

Même après la cueillette, en automne, les pommes à cidre continuent à mûrir.

Dans le broyeur, on mouline les pommes pour obtenir une purée épaisse.

Plusieurs couches de pommes broyées sont étalées sur le pressoir.

Une toile de jute sépare chaque couche de pommes broyées.

Quand la vis du pressoir tourne, le jus de pomme s'écoule.

Dans le tonneau, le sucre se transforme en alcool et le jus de pomme… en cidre !

LES FAMILLES-FRUITS

Le noyau de pêche s'ouvre facilement : tu y trouveras une amande. Observe les pépins d'une banane et compare-les à ceux d'une pastèque !

FRUITS A NOYAU

LES FRUITS ROUGES DE L'ÉTÉ

On les appelle fruits rouges, mais certains sont roses, d'autres presque noirs ! Cueille-les avec précaution : leur jus tache les vêtements.

Observe de près une mûre ou une framboise. Tu verras qu'elles sont composées de minuscules fruits dont chacun porte une graine.

LA CONFITURE DE FRAISES

Tu peux faire toi-même la confiture de fraises de ton petit déjeuner. Prépare une purée de fruits que tu feras bouillir avec du sucre !

Ecrase dans un presse-purée un kilo de fraises lavées et équeutées.

Verse la purée de fruits dans une cocotte et ajoute un kilo de sucre.

Fais fondre le sucre à feu doux. Puis remue le tout pendant 10 mn.

Laisse reposer ta confiture et verse-la dans les pots.

LES FRUITS EXOTIQUES

Aimes-tu les bananes et les oranges ? Comme bien d'autres, ces fruits arrivent par bateau ou par avion de pays où il fait chaud toute l'année.

Le litchi pousse sur un arbuste.

Les bananes poussent en « régimes » sur les bananiers.

Avec le jus de grenade, on fait la grenadine !

Les dattes sont mangées souvent séchées.

Le noyau de la mangue est énorme.

Ce fruit au joli chapeau, c'est l'ananas, que l'on coupe en tranches.

L'orange se sépare en quartiers.

Le pamplemousse a un goût amer.

La clémentine a la peau toute fine.

L'OLIVE

Les olives peuvent être cueillies encore vertes, ou bien lorsqu'elles deviennent violettes. En février, on récolte les olives noires et ridées.

Ces hommes passent un grand peigne dans les arbres pour faire tomber les olives dans les filets. Un olivier peut vivre mille ans !

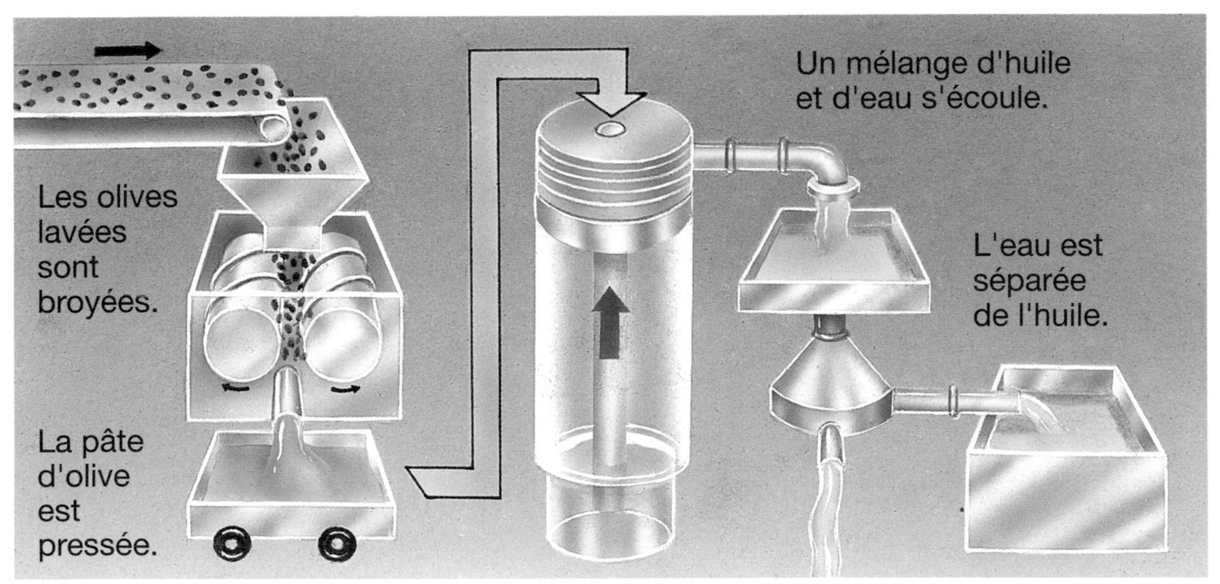

Une partie de la récolte d'olives noires arrive au moulin à huile.
Les olives sont pressées et l'on recueille une huile pure et très parfumée.

LA VIGNE

Le vigneron soigne et surveille la vigne tout au long de l'année. C'est une liane qui pousse vite : il doit la tailler puis l'étaler sur des fils.

Le raisin qui mûrira dans ce vignoble donnera naissance à un excellent vin. Le nom du château sera inscrit sur l'étiquette des bouteilles.

Sur la vigne, les petites fleurs se transforment en grains de raisin.

Les raisins verts grossissent et deviennent blancs ou noirs.

LES VENDANGES

Vendanger, c'est récolter le raisin. En septembre et en octobre, le vigneron fait appel à des vendangeurs ou bien il utilise une machine.

Les vendangeurs coupent les grappes une à une avec un sécateur, puis ils apportent leur récolte au bout de chaque rang de vigne.

La machine à vendanger passe au-dessus de la vigne et la secoue vigoureusement. Elle ramasse les grains mûrs qui se détachent.

DU RAISIN AU VIN

Si on les écrase, les grains de raisin donnent une grande quantité de jus très sucré. Chez le viticulteur, ce jus sera transformé en vin.

Dans le fouloir, la peau des grains de raisin éclate : la pulpe apparaît.

Dans le pressoir, les grains sont pressés : le jus de raisin s'écoule.

Dans le tonneau, le jus fermente : il se transforme peu à peu en vin.

Le vin va «vieillir» avant d'être mis en bouteille.

CULTURES SPECIALISEES

LES GRAINES POUR FAIRE DE L'HUILE

Une fois broyées, puis pressées, les graines de ces plantes donnent l'huile utilisée pour assaisonner la salade ou pour cuire les frites.

Les graines vont se former dans le cœur de la fleur de tournesol.

La fleur du colza laisse place à des cosses remplies de graines.

Le fruit gras de l'arachide, la cacahuète, mûrit dans la terre.

Le soja s'appelle aussi le pois chinois. Il est très riche en huile.

LA BETTERAVE SUCRIERE

C'est dans sa racine que la betterave stocke le sucre qu'elle fabrique. Une fois récoltée, elle est transportée rapidement vers la sucrerie.

Les betteraves sont semées au printemps et récoltées à l'automne. L'effeuilleuse-arracheuse déterre les racines et coupe les feuilles.

Les camions déchargent les betteraves à la sucrerie. On travaille pendant trois mois, jour et nuit, pour extraire rapidement le sucre des betteraves.

DE LA BETTERAVE AU SUCRE

La sucrerie est une usine très moderne : tout le travail est fait par des machines, depuis l'arrivée des betteraves jusqu'au départ du sucre.

Un fort courant d'eau emporte les pierres, la terre et l'herbe.

Le coupe-racines découpe de fines lamelles : les cossettes.

L'eau tiède circule dans les cossettes et se charge de sucre.

Le jus sucré ainsi obtenu contient des impuretés. Il faut le filtrer.

On fait bouillir le jus pour qu'il se transforme en un épais sirop brun.

Le sirop est chauffé dans une chaudière : de petits cristaux de sucre apparaissent.

Tout est bon dans la racine de betterave : une fois vidées de leur sucre, les cossettes seront séchées pour servir de nourriture aux animaux !

L'essoreuse tourne vite : elle chasse le sirop qui enveloppe les cristaux.

Il reste un sucre blanc cristallisé qui séchera dans de grands silos.

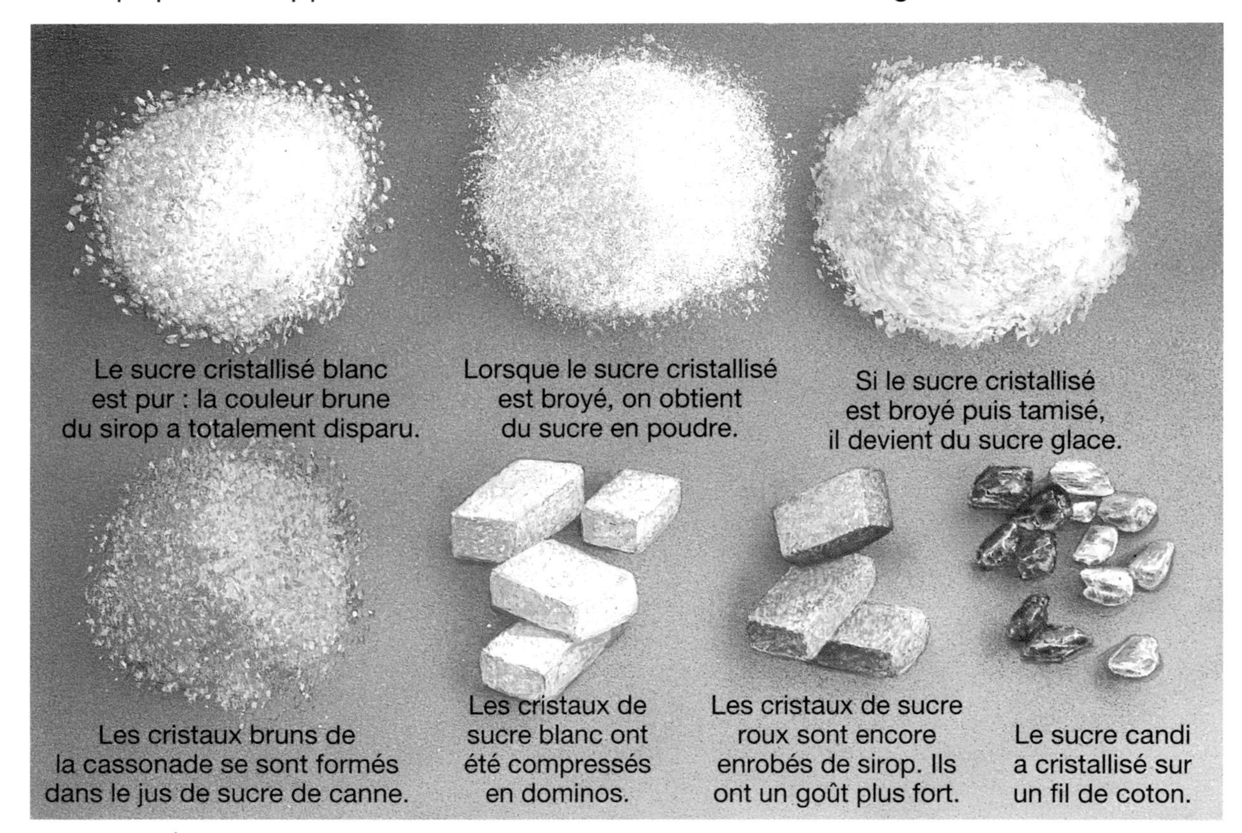

Le sucre cristallisé blanc est pur : la couleur brune du sirop a totalement disparu.

Lorsque le sucre cristallisé est broyé, on obtient du sucre en poudre.

Si le sucre cristallisé est broyé puis tamisé, il devient du sucre glace.

Les cristaux bruns de la cassonade se sont formés dans le jus de sucre de canne.

Les cristaux de sucre blanc ont été compressés en dominos.

Les cristaux de sucre roux sont encore enrobés de sirop. Ils ont un goût plus fort.

Le sucre candi a cristallisé sur un fil de coton.

Demande à un grand de faire chauffer un morceau de sucre blanc avec très peu d'eau. Le sucre se transforme en sirop marron : il caramélise.

LA CANNE A SUCRE

La canne à sucre fabrique du sucre dans sa tige. C'est pourquoi on l'appelle le « roseau sucré ». Avant la récolte, une tige pèse six kilos !

Pendant dix mois, grâce à l'eau et au soleil, la tige fabrique du sucre.

La coupe commence un mois après l'apparition des fleurs.

L'emploi de machines permet de couper vite et sans fatigue.

A l'usine, les tiges sont broyées et le jus de canne s'écoule.

CHAMPIGNONS DE PARIS

Les champignonnistes travaillent dans des caves ou des grottes. Après chaque récolte, ils changent le compost qui a nourri les champignons.

Le compost est un mélange de fumier de cheval et de paille. Il vieillit vingt jours avant d'être ensemencé avec du blanc de champignon.

Un mois après l'ensemencement, la première récolte des champignons apparaît. Cinq autres suivront.

Les champignons sont récoltés à la main. Ils seront vendus frais ou mis en boîte dans une conserverie.

LE TABAC

C'est au temps de Christophe Colomb que l'on découvrit le tabac chez les Indiens d'Amérique. Ils le fumaient dans leurs calumets.

Le tabac aux larges feuilles peut atteindre deux mètres de hauteur.

Des taches jaunes apparaissent sur les feuilles : la récolte commence.

Le tabac est transporté vers les séchoirs, tout près des champs.

Les feuilles sont enfilées sur des ficelles avant d'être suspendues.

RAPPELLE-TOI !

Tu viens de faire connaissance avec des cultures de toutes sortes.
Avant de continuer ta lecture, réponds à ces quelques questions.

Relie le sucre, puis l'huile, aux plantes qui servent à les fabriquer.
Si tu hésites, cherche la réponse dans les pages précédentes.

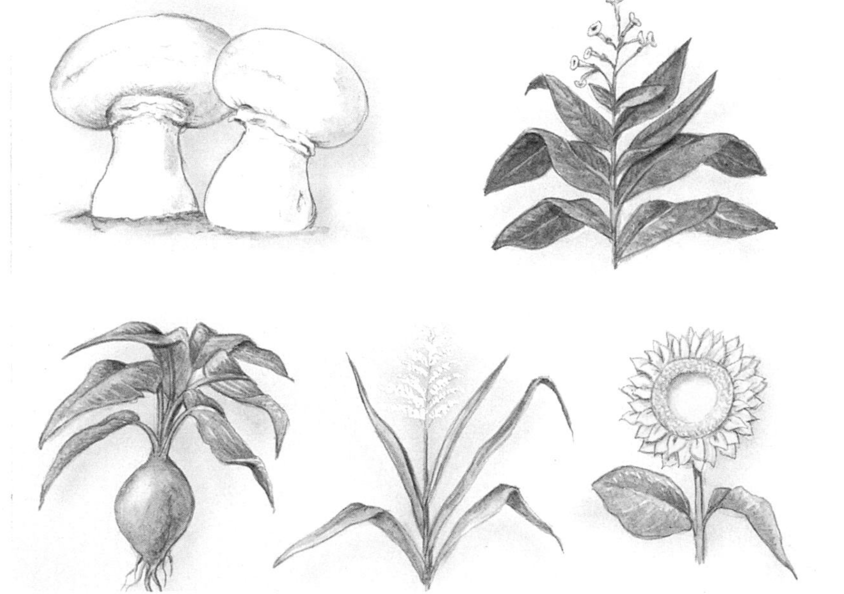

Laquelle de ces deux plantes ne se mange pas ?

Montre et nomme la plante qui pousse dans les pays chauds .

LES EPICES

Autrefois, ces précieuses marchandises étaient rares en Europe. Elles arrivaient de pays lointains après avoir traversé les déserts et les mers.

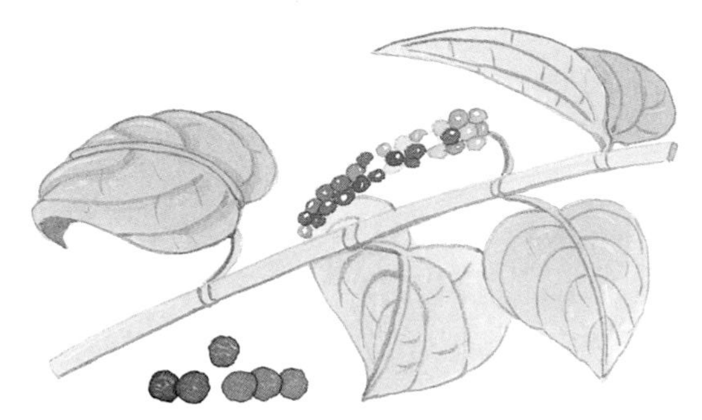

Le fruit du poivrier est cueilli encore vert, à demi mûr et blanc, ou mûr et noir.

La noix de muscade est cachée dans le fruit du muscadier, un arbre qui atteint 20 mètres de haut.

Le bouton rose de la fleur du giroflier s'appelle le « clou de girofle ». Il est récolté et séché.

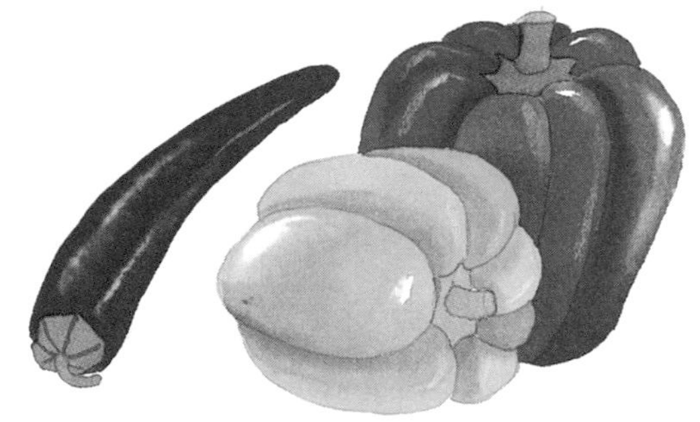

Les piments ont un goût plus ou moins fort. Le chilli brûle la langue. Les poivrons sont doux.

L'écorce du cannelier est découpée, roulée, séchée, partagée en bâtonnets de cannelle.

Du gingembre, on récolte la partie souterraine : le rhizome. On peut le sécher et le réduire en poudre.

LES FINES HERBES

Ces herbes sont recherchées par les bons cuisiniers : ils les utilisent fraîches ou séchées pour parfumer sauces, poissons et viandes.

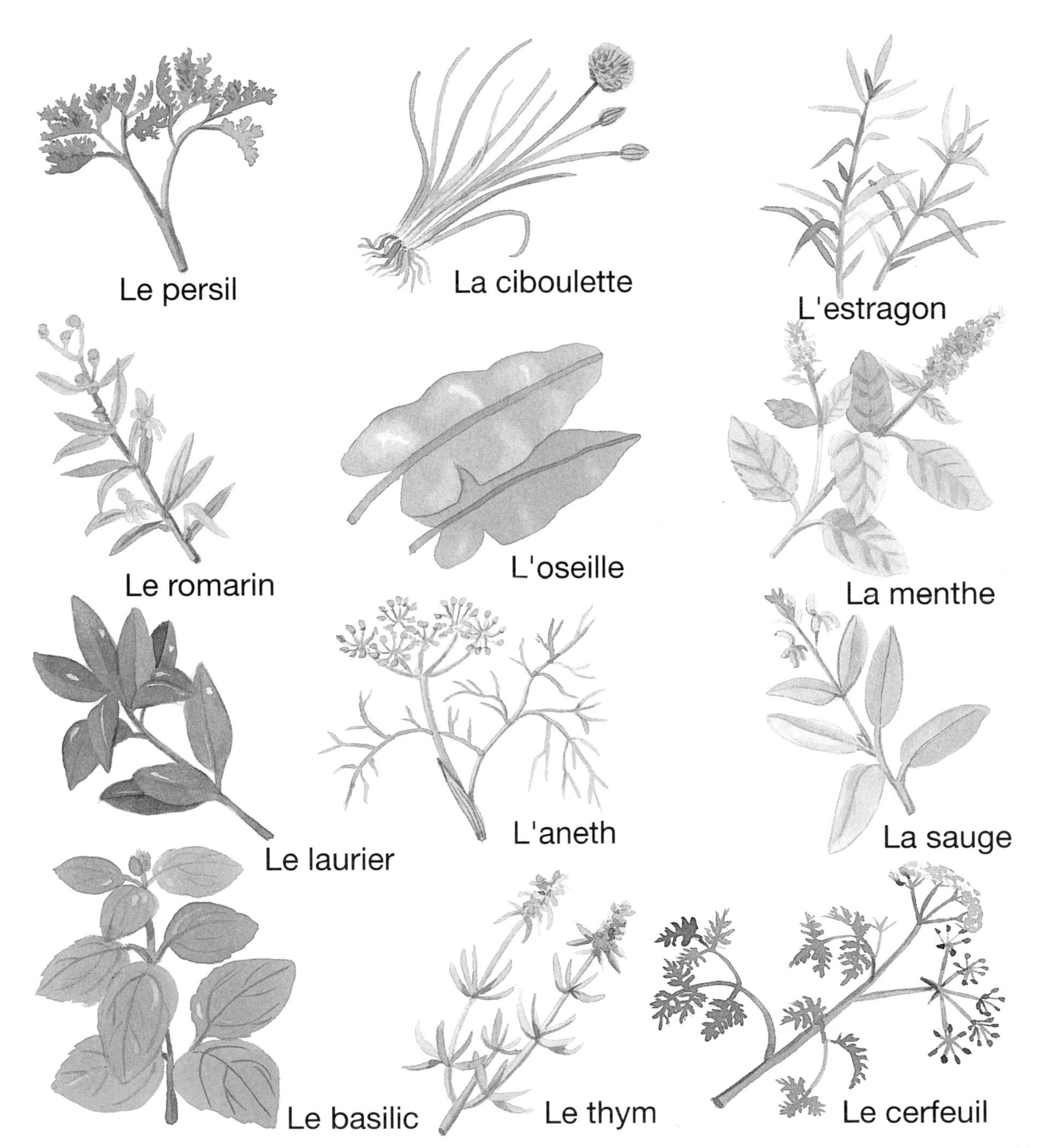

LE THE

As-tu déjà mis un sachet de thé à infuser dans de l'eau frémissante ? Il contient des feuilles de thé séchées, roulées, puis émiettées.

Dans cette plantation, en Inde, la cueillette a lieu toute l'année. Les femmes choisissent trois feuilles sur chaque théier, les plus parfumées.

LE CAFE

Les grains noirs que tu trouves dans les paquets de café ont été grillés. Quand ils sortent des cerises rouges des caféiers, ils sont tout verts !

Le cueilleur choisit les cerises de caféier rouges. Il ne touche ni aux cerises vertes ni aux fleurs.

Les cerises de caféier sont sans cesse retournées pour faire sortir les grains verts de leur coque.

Une fois secs, les grains verts sont versés dans de grands sacs de jute et expédiés dans le monde entier.

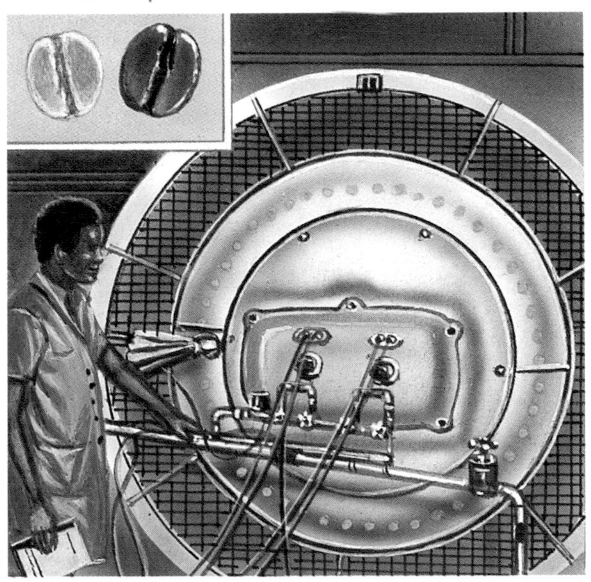

A l'usine, les grains deviennent noirs en grillant dans d'immenses fours : c'est la torréfaction.

LA FEVE DE CACAO

En Amérique du Sud et en Afrique, les cacaoyers poussent à l'ombre des bananiers ou des palmiers. Ils fleurissent toute l'année.

Le fruit du cacaoyer, la cabosse, contient des graines humides et blanches : les fèves de cacao.

Cet homme ouvre la cabosse avec un grand couteau : c'est le décabossage.

Les hommes détachent les fèves et les étalent sur de larges feuilles de bananier.

Les fèves sèchent au soleil avant d'être expédiées dans les chocolateries du monde entier.

A LA CHOCOLATERIE

C'est l'usine où l'on fabrique le chocolat à partir des fèves. Le chocolat est un mélange de pâte de cacao, de sucre et parfois de lait.

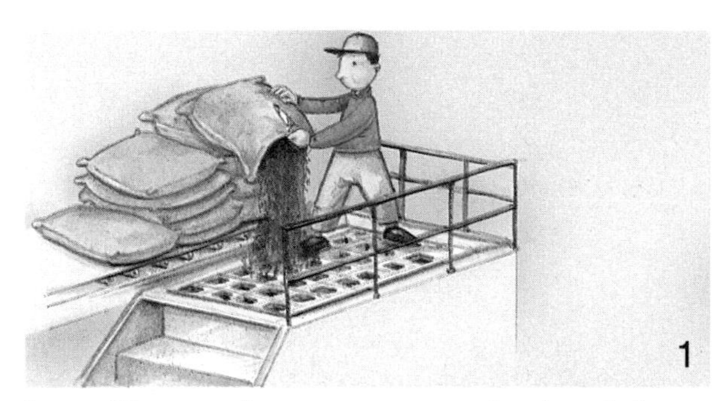

Les fèves de cacao sont stockées, puis minutieusement nettoyées.

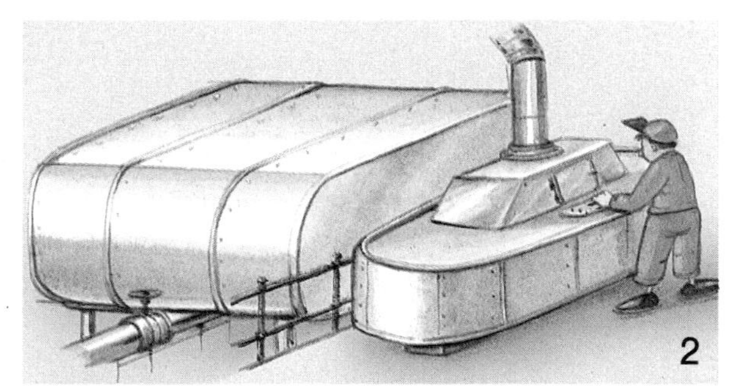

Les fèves sont rôties et leur enveloppe éclate. C'est la torréfaction.

Pendant le concassage, les fèves sont réduites en minuscules morceaux.

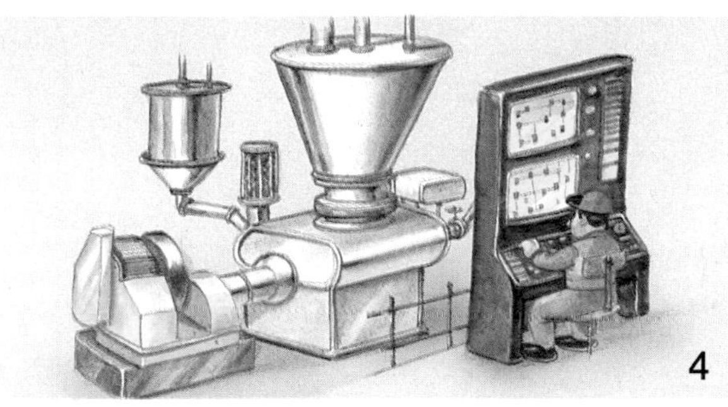

Puis ces morceaux sont brassés jusqu'à donner la pâte de cacao.

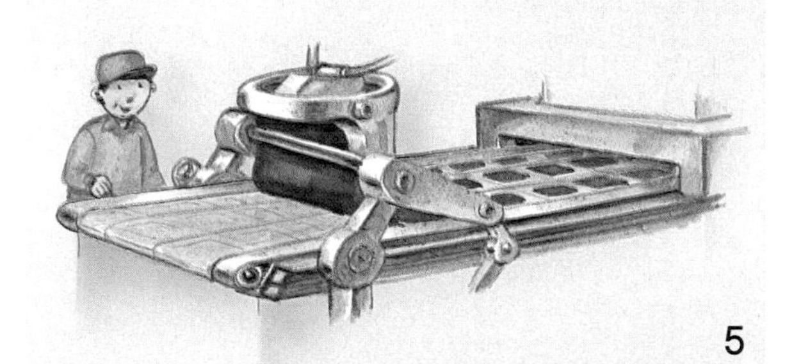

Le chocolat qui s'écoule dans les moules est fait de pâte de cacao sucrée.

Les tablettes refroidies sont emballées dans une feuille d'aluminium.

LE LIN

Sais-tu que le lin est une plante aux belles fleurs bleues ou blanches ?
Ses fibres sont transformées en fil qui sert à tisser des vêtements.

Les longues fibres du lin sont cachées sous l'écorce de la tige.

L'arracheuse mécanique ne coupe pas la plante : elle l'arrache.

Les fibres sont séparées de leur écorce et assemblées par poignées.

A la filature, les fibres étirées et tordues sont tissées sur une machine.

DANS UNE PLANTATION DE COTON

Tu soignes tes blessures avec du coton et tu portes des habits en coton tissé. Sais-tu que le coton est le fruit d'un arbuste ?

Sans fleur, pas de fruit et pas de coton ! Quand la fleur fane, un fruit se forme. Il donnera naissance à une boule de fibres blanches.

Dans certains pays d'Afrique, on récolte le coton à la main.

Le travail se fait très rapidement avec cette cueilleuse mécanique.

LA SOIE

Ce tissu léger et brillant est fabriqué en Chine depuis 4 000 ans !
Pour obtenir le fil de soie, il faut des papillons et des arbustes : les mûriers.

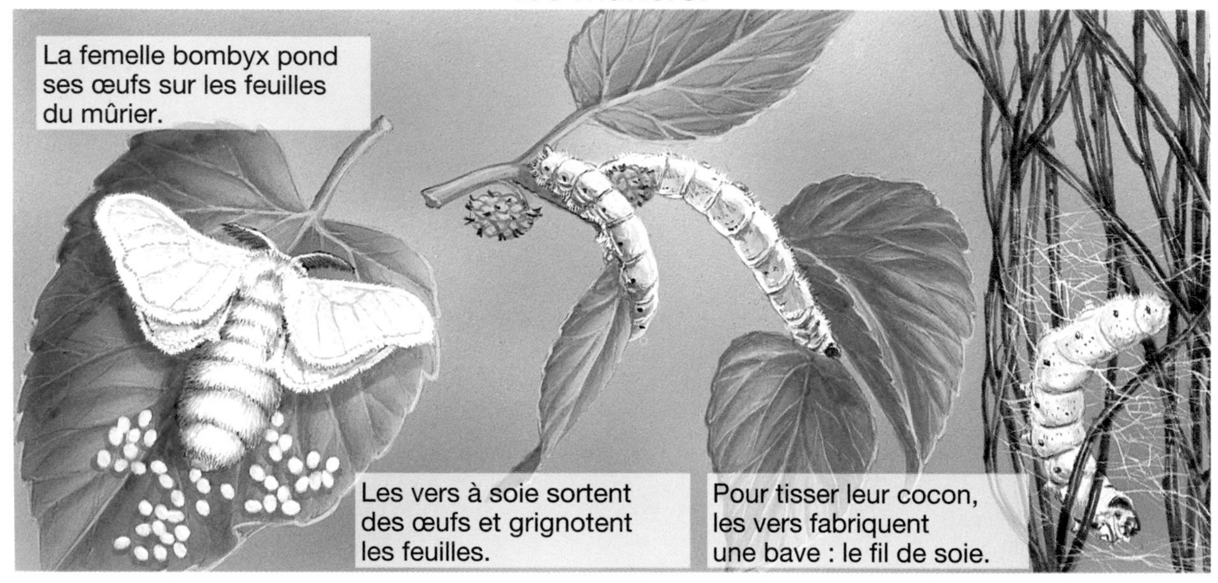

Quand le ver à soie cesse de se nourrir, l'éleveur lui prépare des branchages secs. Le ver y grimpe pour s'enfermer dans son cocon.

Les cocons sont ramassés avant que les vers ne deviennent des papillons.

Les cocons trempent dans l'eau bouillante. Puis on les dévide : le fil de soie est déroulé.

LA TERRE QUI NOUS NOURRIT

CATASTROPHES NATURELLES

Tous les fermiers du monde surveillent attentivement leurs cultures. Ils craignent la sécheresse, les inondations, le gel… ou les insectes !

S'il fait très chaud et que la pluie ne tombe pas, les plantes meurent.

Mais s'il pleut fort et longtemps, l'eau emporte les cultures.

La sève qui gèle au printemps fait éclater les vaisseaux de la plante. Elle n'est plus nourrie et meurt.

Dans les pays chauds et secs, des nuées de criquets s'abattent sur les récoltes et les dévorent.

LA FAIM DANS LE MONDE

Dans certains pays, même si les habitants trouvent de la nourriture, ils tombent malades, car leurs aliments sont pauvres en vitamines.

Repère les endroits du monde où les repas sont souvent insuffisants.

Cette enfant ne va pas à l'école. Elle doit aider ses parents.

Certains pays plus riches envoient de quoi nourrir la population.

L'eau du puits permettra d'arroser et de donner à boire aux hommes et aux bêtes.

LES ENGRAIS NATURELS

Engraisser, c'est donner beaucoup à manger pour faire grossir.
Les engrais, ce sont les vitamines qui font pousser les cultures plus vite.

Les excréments recueillis dans les élevages de porcs, servent d'engrais.

Les bouses de vaches, le crottin de cheval enrichissent le sol.

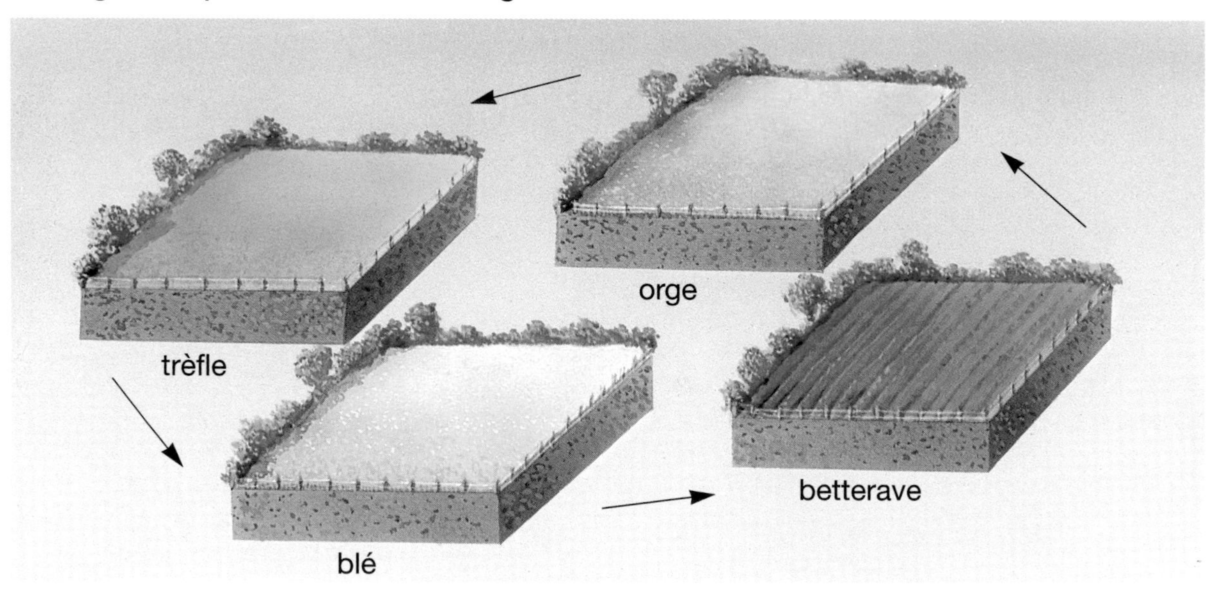

Si le blé poussait toujours dans le même champ, la terre s'épuiserait, les récoltes seraient mauvaises. Aussi, le fermier pratique la rotation.

PROTEGER LES RECOLTES

Le fermier emploie surtout des produits chimiques : les pesticides. Parfois, il fait appel à des animaux qui avalent plus petits qu'eux !

Au-dessus de cet immense champ, l'avion épand des produits qui tuent les insectes nuisibles et les champignons microscopiques.

Les coccinelles dévorent les pucerons par milliers. Plus besoin d'insecticides !

Les rats des moissons dévastent les champs de blé. L'aigle les élimine très vite en les dévorant !

ENTRETIEN NATUREL

Les fermiers ont des idées pour éviter les incendies et retenir l'eau. Ils ne font pas appel aux machines, mais aux plantes et aux animaux !

L'été, les feuilles et les branchages secs s'enflamment facilement. Si les chèvres débroussaillent en grignotant, le feu ne prendra pas !

Les arbustes des haies ont des racines qui captent l'eau des terres humides. Le sol garde les vitamines et les cultures poussent mieux.

AVEC QUOI SONT FAITS CES ALIMENTS ?

Relie chaque produit à l'animal ou à la plante d'origine. Fais attention aux pièges et rappelle-toi que plusieurs produits peuvent avoir la même origine.

TABLE DES MATIERES

ISBN 2.215.031.51.4

Dépôt légal à la date de parution.
Conforme à la Loi N°49-956 du 16 juillet 1949
sur les publications destinées à la jeunesse.
Imprimé en Italie (01-02)

À DÉCOUVRIR

Un premier dictionnaire pour les 5-8 ans

À travers les contes, la lecture est au centre de la conception de ce nouveau dictionnaire. Grâce aux personnages et aux scènes des histoires que tous les enfants connaissent, les mots prennent vie dans des univers familiers pour stimuler l'envie de lire et de comprendre.

Pour apprendre à chercher : les 3 premières lettres du premier mot de la page.

Le mot est expliqué à chanson.

Les définitions ou les explications sont simples.

Les devinettes invitent à circuler dans le dictionnaire et à découvrir d'autres mots.

Pour apprendre d'autres mots en allant voir la planche sur le temps.

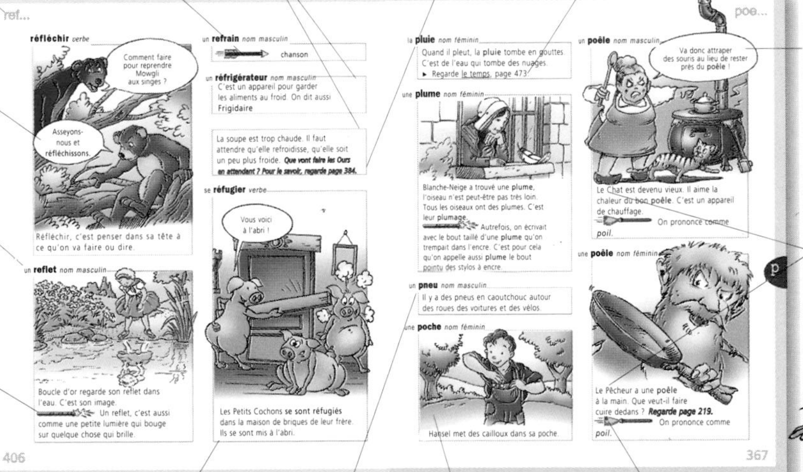

Les dialogues mettent les mots en situation.

La nature des mots est donnée pour le nom, l'adjectif et le verbe.

La baguette de fée introduit un autre sens du mot ou un mot de la même famille.

Tous les types de phrases sont représentés dans les bulles.

À partir d'un mot, on en découvre d'autres.

Les noms des personnages ont une majuscule.

Les verbes sont le plus souvent conjugués dans les récits.

Les féminins ou les pluriels difficiles sont illustrés par l'exemple.

Le mot est connu. Le dessin suffit.

Le balai de sorcière introduit une remarque.